editores
mexicanos
unidos

EL GESTICULADOR
LA MUJER NO
HACE MILAGROS

RODOLFO USIGLI

editores
mexicanos
unidos

Director de la colección: *Emilio Carballido*

Diseño de portada: *Alberto Díez*

©Editores Mexicanos Unidos, S.A.
Luis González Obregón 5-B
C.P. 06020 Tels. 521-88-70 al 74
Miembro de la Cámara Nacional
de la Industria Editorial. Reg. No. 115
La presentación y composición tipográficas
son propiedad de los editores

ISBN 968-15-0604-9

Ia. edición, febrero de 1985

9a. Reimpresión Septiembre 1995

Impreso en México
Printed in Mexico

tentación" en la que cae César Rubio. El largo diálogo que sostienen los dos en el primer acto es de una maestría incomparable, el lento deslizamiento del carácter ladino de Rubio hasta la venta de su falsa identidad, es la ocasión para un gran actor de recrear el matiz, la intención progresiva, el descubrimiento de un nuevo destino, el cambio, la duda, el miedo...

Pero no menos ladino es el profesor de Historia norteamericano que, ávido por lograr un "éxito de investigación" rápido, con muy poco criterio científico, se satisface ante la insinuación que César Rubio hace de que él es el general revolucionario, retirado de los quehaceres políticos, que ha vivido de ejercer una cátedra de Historia de la Revolución Mexicana. Bolton faltará a su promesa de guardar el "secreto" y desencadenará el "gesto" de Rubio que asumirá decididamente la piel de otro, frente a familiares y extraños. Había un traje de general que lo estaba esperando en su destino y hacia él irá con determinación. Es ahora como se acepta, como vibra por nuevas ilusiones, nuevos sueños, ahora que es otro. Lejos quedará su auténtica identidad; es la nueva, la que no le corresponde, la que lo alienta y anima. Vuelve a nacer, asume la vida de otro, desde el punto en que quedó interrumpida, y desde ahí pretenderá también modificar la Historia, rehacer un camino, para cambiarlo. Pero ese camino volverá a recorrerse con los mismos resultados y la revolución que él creía poder cambiar, continuará desviándose. Esa revolución representada por el "general" Navarro que ve en ese César Rubio resucitado para el pueblo, a un agresor que hay que abatir, igual que años atrás abatió al revolucionario César Rubio.

Los personajes viven, desde el principio de la obra, lo transitorio. Apenas están iniciando la instalación familiar en ese ambiente infecundo, cuando ya se habla de que no van a vivir allí para siempre, como tampoco van a seguir siendo lo que han sido ni lo que son, puesto que en ese momento no representan nada ni social ni económicamente. Por lo tanto, desde el principio se espera, se presiente que van a tener que hacer algo, un algo que será definitivo y constituirá la marca de sus vidas.

Los cambios se producen en todos. La hija que se ha considerado marginada por su fealdad, ante el "gesto" del padre de aceptar ser el general César Rubio, no duda y se deslumbra, se transforma a su vez en "otra" y esa otra será la que viva, incluso después de la muerte del padre o mejor dicho gracias a ésta.

El hijo que no acepta las reglas sociales postizas que sus padres le imponían, al final de la obra tiene la oportunidad de buscar por sí solo y auténticamente su propia verdad y ser "otro" diferente a lo que hasta entonces ha sido. Usigli deja abierta esa posibilidad que nunca sabremos si se consigue...

En cuanto a la esposa, está trabajada como un estado de conciencia de César Rubio. Contra ella arremete, le inquieta, la acalla, pero siempre presente en sus decisiones, termina dominándola como ha dominado todos sus escrúpulos.

Se vive una situación de crisis, y de ahí parte esa fuerte acción escénica que la obra comunica con el ritmo interno y creciente de los personajes. Ritmo que está impulsado a lo largo del texto por la sucesiva intervención de los agentes extraños a la familia: primero es Oliver Bolton, después el grupo constituido por el representante del partido en el poder, el presidente municipal y los diputados locales, sus dudas acerca de la personalidad descubierta por el profesor gringo, luego la aceptación de ella, posteriormente el enfrentamiento con Navarro y por último la muerte, cerrando así el destino de todos.

En el trabajo escénico el ambiente escenográfico enfatizaba la soledad humana, el calor infernal con las luces, la sequedad de la tierra; se despojó el escenario hasta los límites mínimos indispensables de mobiliario y de utilería. Nada fuera de lugar ni nada que pudiera adornar o distraer de los actores y de las circunstancias que vivían.

Por último, unas observaciones a la dirección escénica que realicé para la Compañía Nacional de Teatro. La primera es que quise la presencia del pueblo, curioso, atisbando por la puerta y por la cerca, tratando de identificar y conocer al "general César Rubio", viendo en él la posible solución a sus injusticias, su progresión hacia la alegría y la esperanza cuando éste acepta su postulación como gobernador, su tránsito al dolor y la ira cuando lo asesinan y su caída en la manipulación y el engaño. Esto debía verlo el público y sacar consecuencias.

Un traje de general comprado por el profesor César Rubio, aguardaba en un rincón de la casa. Hice que "César Rubio general" lo vistiera en la escena última, yendo de esta manera hasta el final de su "gesto": vivir y morir dentro de una identidad diferente a la suya.

La observación final, con la que no todos estuvieron de acuerdo, fue la muerte. Usigli, gran conocedor y escrupuloso de los géneros dramáticos, hace que esa muerte suceda fuera de escena. Se relata a la familia (y al público por lo tanto). Mi decisión fue opuesta, y a la vista de todos, público y familia, el asesino a sueldo de Navarro termina con la vida de César Rubio y a su vez es ultimado por los pistoleros de Navarro. El porqué es sencillo. El impacto dramático logrado de esta manera, aunando la salida del cuerpo de César Rubio con el pueblo presente, triste, incrédulo y asombrado y con la hipocresía de Navarro rindiéndole honores militares, fue un todo que constituyó una secuencia de acciones que de manera fuerte y clara mostró al público los mecanismos utilizados para acabar con una pequeña ilusión del pueblo. Y el público así lo entendió y sus aplausos se lo demostraron noche tras noche a los actores.

Rafael López Miarnau

Rodolfo Usigli

RODOLFO USIGLI

Entrevista de Margarita García Flores
1977

Ya no tengo ganas de escribir

Hoy casi no habla. Después de cada pregunta una larga pausa y un monosílabo muchas veces por respuesta. Hubo un tiempo en que hablaba fuerte acerca del teatro y sus problemas. En el prólogo a *Corona de Luz* dice: "En un país corrompido por el mito enfermizo y por la falsa tradición; en un país en que la tradición parece una invención cotidiana; en un país que cuando no es pasional hasta el crimen es sentimental hasta el suicidio, el teatro de ideas resulta particularmente difícil". En otro párrafo asegura: "Tengo la vanidad (¿cuándo no?) de creer que antes de mí no se abordaron muchos temas vivos en el teatro mexicano. Si es sólo vanidad el tiempo la reducirá a polvo y tanto peor para mí". Ya en la plática me dice que no es "absurdista ni antiteatrista". Nació en 1905, en la ciudad de México. Vivió por las calles de Izazaga y San Juan de Letrán. Fue vasconcelista: "Pero Vasconcelos no era el mejor hombre para gobernar". Ha sido actor y director. Es autor de 40 obras teatrales, una novela y un libro inédito de poemas. Para muchos, el mejor dramaturgo de México y de América Latina. Para otros, autor sólo de una gran obra, *El Gesticulador*. Para Antonio Magaña Esquivel *(Teatro mexicano del siglo XX,* tomo cuarto), en esta obra "culmina la intención de sátira

11

política que lo caracteriza y por la que persigue dar cauce a su afán de corrección, que no es moralista''.

Me dicen que es un erizo y encuentro a un hombre amable, fastidiado por la entrevista. "Hubo un tiempo en que sí me gustó conversar pero creo que ya lo he dicho todo''. Casi no ve a la persona con la que habla. De lo único que tiene ganas es de estar en paz. Pero no es un oso que inverna. Es un caracol.

Su departamento no tiene nada del joven pobre que fue Usigli. Hoy posee cientos de objetos bellos coleccionados en sus muchos años de vivir en el extranjero. En las paredes cuadros de Manuel Rodríguez Lozano, Feliciano Béjar, Sofía Bassi; retratos de Usigli con su inseparable boquilla; fotografías de puestas en escena de las obras del dramaturgo; colección de armas antiguas; una hermosísima piel de oso (Usigli fue embajador en Noruega). En las manos, anillos caros; en la corbata, fistol. Saco de primavera, a rayas azules. Sé que tiene cuatro hijos, dos hombres y dos mujeres. Cuando llaman a su puerta, él abre. ¿Vive solo? ¿Qué emociona a este hombre metido en sí mismo? En el prólogo a *Corona de sombra* (obra sobre Carlota y Maximiliano) dice: "Mis primeros recuerdos del Imperio de Maximiliano y Carlota tienen la categoría de emociones de infancia, y los debo todos a mi madre, mujer santamente iletrada, pero desbordante de ese sentido común y de esa humanidad que sólo se encuentra en los héroes y en los santos''.

En su libro *Itinerario de un autor dramático* están sus conceptos sobre el teatro lo mismo que en los prólogos de algunas de sus obras. "El Fondo no se ha decidido a sacar una nueva edición. ¡Allá ellos!'' Del teatro de hoy no quiere hablar aunque admite que "hay mucha confusión''.

—¿Cómo era el teatro mexicano en la época en que usted publicó su primera obra *El Apóstol?* (Escrita en 1930 y publicada un año después).

—*Era igual que ahora pero sobre todo se ponían piezas de autores españoles.*

—¿Y en esos años cómo era recibida la obra de un dramaturgo mexicano?

—*Fue difícil, ¡claro!; pero no tengo queja porque desde la primera obra me recibieron bien.*

—¿Y en 1937, cuando usted escribe *El Gesticulador?* (estrenada en Bellas Artes el 17 de mayo de 1947, y publicada en *El Hijo Pródigo* en 1943).

—*Todo seguía igual. Pasaron muchos años para que se lograran establecer las obras mexicanas.*

—¿*El Gesticulador* es bien entendida cuando aparece?

—*Se publica a principios de los cuarenta y nadie quería ponerla.*

—¿Tenían miedo?

—*Supongo que sí, hasta que Gómez de la Vega la presentó en 1947 también con resultados negativos porque hubo persecución y suspensión de las funciones, y muchos incidentes desagradables. La quitaron durante una semana.*

—¿Y el público cómo reaccionó?

—*¡Estupendamente!*

—¿En la prensa lo defendieron?

—*(Risa) No. Me atacaron, pero el público estaba conmigo.*

—¿Cuál otra de sus obras ha tenido la repercusión latinoamericana y mundial de *El Gesticulador?* (Muchas están traducidas a otros idiomas. Usigli es traductor de obras inglesas y francesas).

—*Creo que ninguna. Como taquilla, Jano es una*

13

muchacha *fue un éxito. Duró seis meses (estrenada en el Teatro Colón en 1952) con mucho éxito a pesar de los ataques de algunos periódicos. Actuaba Rosita Díaz Jimeno. La primera obra mexicana que duró 450 representaciones fue* El niño y la niebla *(escrita en 1936 y estrenada el 6 de abril de 1951 en el Teatro Caracol. También hay versión cinematográfica).*

—¿Usted cree en los milagros? Se lo pregunto por su obra *Corona de Luz* sobre la Virgen de Guadalupe.

—(Sonrisa) *Sí, sí creo en los milagros.*

—¿Ha sido profunda su fe durante toda su vida?

—*Sí.*

—¿Ha tenido problemas por su religiosidad?

—*No. Además no es religiosidad desde el punto de vista burocrático o administrativo de la Iglesia. Es algo fuera de toda cuestión de culto o de práctica. No soy creyente prácticamente.*

Me importa el conflicto

—¿Su familia era muy religiosa?

—*Sí.*

—Es sorprendente que un especialista en diálogos como usted, responda con monosílabos, ¿le molesta mucho conversar?

—*Sí (sonrisa) hablo poco desde hace muchos años.*

—¿Escribe mucho?

—*No, por ahora no.*

—¿Cuando era joven iba mucho al teatro?

—*Sí, de niño vi muchas zarzuelas españolas; mis padres me llevaban al teatro.*

—¿El teatro mexicano fue muy influido por los Contemporáneos?

—*No; los Contemporáneos tuvieron poca influencia fuera del movimiento del teatro Ulises. Pero como estaban en grupo se hicieron sentir.*

—Usted no perteneció a ningún grupo, ¿eso le causó problemas?

—*No, al contrario, me los quitó.*

—¿En México es apreciada la obra de usted?

—*Sí, por el público.*

—¿Y por la crítica?

—*Ocasionalmente.*

—La crítica Malkah Rabell me dijo que usted es el mejor dramaturgo de América Latina.

—*¡Gracias! ¡Nunca me lo ha dicho por escrito!*

—¿Los mexicanos ninguneamos a nuestros artistas?

—*No, no especialmente, no más que en otros países.*

—¿A quiénes respeta, a quiénes recuerda como buenos actores?

—*A Gómez de la Vega, sobre todo, a Isabela Corona, a Rosita Díaz. Algunos empezaron conmigo, como Riquelme y Ernesto Alonso.*

—¿Cuántas obras ha escrito?

—*Cuarenta, ¡hubiera querido hacer más! pero parece que ya se acabó. Ya no tengo nada qué decir. Todo se acaba. Me pasa a los 70, a Rimbaud le pasó a los 20 años.*

—¿Y de verdad lo ha dicho todo?

—*Supongo, porque ya no tengo ganas de escribir.*

—¿Ahora de qué tiene ganas?

—*(Con desgano) De nada. ¡De estar en paz!*

—A lo mejor nos da una sorpresa. Acaso escribe sus recuerdos y no quiere decirlo...

—*No, no. No creo en los libros de memorias. No me interesan.*

—¿Los considera falsos?

—*No, pero nunca tienen toda la verdad del hombre que los escribe.*

—¿Siempre ha sido un hombre introvertido?

—*Creo que sí. No lo explico, lo siento, lo veo* (y yo agregaría: y lo padece).

—¿Qué alumnos le interesaban cuando daba clases en la UNAM?

—*Pues personas como Luisa Josefina Hernández. Rosario Castellanos estuvo en algunas clases mías como visitante. No tengo un recuerdo muy claro de ella. También iban Dolores Castro, Emilio Carballido, Magaña, y algunos otros que se me olvidan.*

—Usted influye decisivamente en esa generación. . .

—*Supongo que sí, pero no tengo pruebas.*

—¿Qué es lo más importante en una obra de teatro?

—*La obra en sí, el conflicto, lo que le da calidad dramática* (ha dicho que el teatro es sobre todo acción. Y en el primer prólogo a *Corona de Luz*, dice: "Toda obra dramática fiel a la esencia y naturaleza del teatro y a sus requisitos básicos, puede tener una tesis a posteriori, esto es, una o mil proyecciones de orden social y humano, pero ninguna obra perpetrada sobre la armazón de una tesis puede alcanzar vida escénica duradera y real". En el mismo prólogo, Usigli afirma: "El mexicano vive la comedia pero no la escribe, y aquí principia su tragedia. El chiste —que llamaría yo canónico—, fuga y fuerza del mexicano, está más lejos de la comedia que el crimen pasional o que la grotesca paternidad que nos atribuye la quinta copa de la cantina. El chiste mexicano es sangriento, es una reencarnación de Huichilobos, una nueva y efímera —renovable sin fin por tanto— piedra de sacrificios. La comedia, en cambio, es armoniosa y equilibrada, surte sangre y alienta a vivir. La confundimos a menudo con la farsa porque somos un pueblo salvaje y principalmente político, pero en una forma que yo llamaría impolítica nos hace sacrificar a los hombres en vez de aprovecharlos; asesinar en vez de conceder, enriquecernos en vez de dar riquezas".

La conferencia es género muerto

—¿Todas sus obras son dramáticas?

—*No, tengo quince comedias y tres farsas. He querido practicar todos los géneros.*

—¿Con qué resultados?

—*(Risa) Ninguno. Ya no tengo ni la capacidad ni la necesidad de hablar y hablar. Hablé mucho.*

—¿Se negaría a dar clases y conferencias?

—*Sí. Ya estoy jubilado de la Universidad. La conferencia me parece un género muerto, las doy ocasionalmente como miembro del Seminario de Cultura Mexicana, pero nada más.*

—¿Cómo llegó a sus 50 años de dramaturgo? ¿Contento, resentido con el público o con los críticos?

—*Con el público de ningún modo, siempre ha sido magnífico. Y de los críticos, muchos de ellos han sido buenos.*

—¿Ha habido en México un teatro que refleje nuestra problemática?

—*Casi nunca. Las temporadas hechas por la Unión de Autores hace una veintena de años, eran buenas.*

—¿Hubiera podido vivir de su producción como dramaturgo?

—*No creo. Alguna vez me reprocharon que ganaba*

17

dinero, cuando se estrenó Jano. *Hubo un número del suplemento de* Novedades *en que se ensañaron conmigo todos, José Luis Martínez y qué sé yo cuántos. Rafael Solana también. Me reprocharon que ganara dinero con* Jano.

—¿Querían que fracasara?

—*Supongo.*

—¿Todas sus obras están editadas?

—*Casi todas. El Fondo tiene dos tomos con 32 piezas, y hay otras ocho sueltas que todavía no forman un tercer tomo, la última es* Buenos días, señor Presidente.

—¿Por qué no se ha podido hacer un teatro popular en México?

—*Lo intentamos en el régimen anterior, con buenos resultados, pero faltó el decreto que le diera personalidad jurídica al teatro popular. No hubo manera de conseguir que el decreto pasara por las Cámaras, y al cambiar el gobierno, pues se acabó.*

—¿Qué es el teatro popular?

—*Un teatro de servicio al pueblo, como fue el que creó el presidente Echeverría. Todo se intentó para acercar al pueblo al teatro, y había mucho público nuevo, gente que no había ido al teatro y que fue; pero desgraciadamente se acabó el teatro popular.*

—¿Su teatro es nacionalista?

—*Es mexicano. Quise dar imágenes de la vida en México tal como la había visto. Dar en forma dramática una especie de crónica de la vida mexicana.*

—¿Le han preocupado los mitos acerca de nuestros orígenes?

—*Mucho, sí.*

—¿Qué escribía cuando tiene la beca para Yale, junto con Xavier Villaurrutia?

—*Todavía no escribía. Empecé por allá. Me inte-*
resaba aprender la técnica en todos los aspectos, la
de composición dramática, la de dirección. He dirigido
muchas obras. En 1940 fundé el teatro Medianoche.

—¿Y funcionaba a medianoche?

—*¡Sí, porque no había más remedio!, no teníamos*
teatro y las obras las poníamos en el cine ·Rex. Des-
pués de la función de cine, casi a medianoche, se daba
la de teatro. Poníamos solamente obras en un acto,
mexicanas y extranjeras.

—¿Cuándo decide escribir teatro?

—*A los 18 o 20 años, antes había escrito poesía y*
otras cosas, cuentos y tonterías, lo que hacen los cha-
macos. Tengo listo un libro de 50 años de poesía, pero
no encuentro editor.

—¿Algo malo le ha venido del teatro?

—*Sólo pequeñas cosas que se olvidan. Queda lo*
más importante.

—Tiene muchos cuadros de Manuel Rodríguez Lozano. . .

—*Sí, he tenido más amigos pintores que escrito-*
res. . .

—La pintura de Rodríguez Lozano es la de un ator-
mentado, ¿las obras de usted también lo son?

—*Algo.*

—Mas ¿está usted satisfecho?

—*En lo posible, sí. ¿El homenaje? Es bueno que*
se lo hagan a uno en vida, aunque no sea necesario
vitalmente.

EL GESTICULADOR,
Versión de López Miarnau:
Carlos Ancira
y Virginia Manzano
1979.

ACTO PRIMERO

Los Rubio aparecen dando los últimos toques al arreglo de la sala y el comedor de su casa, a la que han llegado el mismo día, procedentes de la capital. El calor es intenso. Los hombres están en mangas de camisa. Todavía queda al centro de la escena un cajón que contien. libros. Los muebles son escasos y modestos: dos sillones y un sofá de tule, toscamente tallados a mano, hacen las veces de juego confortable, contrastando con algunas sillas vienesas, bastante despintadas, y una mecedora de bejuco. Dos terceras partes de la escena representan la sala, mientras la tercera parte, al fondo, está dedicada al comedor. La división entre las dos piezas consiste en una especie de galería: unos arcos con pilares descubiertos, hechos de madera; con excepción del arco central, que hace función de pasaje, los otros están cerrados hasta la altura de un metro por tablas pintadas de un azul pálido y floreado, que el tiempo ha desleído y las moscas han manchado. Demasiado pobre para tener mosaicos o cemento, la casa tiene un piso de tipichil, o cemento doméstico, cuya desigualdad presta una actitud —dijérase— inquietante a los muebles. El techo es de vigas. La sala tiene, en primer término izquierda, una puerta que comunica con el exterior; un poco más arriba hay una ventana amplia; al centro de la pared derecha, un arco conduce a la escalera que lleva a las recámaras.

Al fondo de la escena, detrás de los arcos, es visible una ventana situada al centro; una puerta, al fondo derecha, lleva a la pequeña cocina, en la que se supone que hay una salida hacia el solar característico del Norte. La casa es toda, visiblemente, una construcción de madera, sólida, pero no en muy buen estado. El aislamiento de su situación no permitió la tradicional fábrica de sillar; la modestia de los dueños, ni siquiera la fábrica de adobe, frecuente en las regiones menos populosas del Norte. Elena Rubio, mujer bajita, robusta, de unos cuarenta y cinco años, con un trapo amarrado a la cabeza a guisa de cofia, sacude las sillas, cerca de la ventana derecha, y las acomoda conforme termina; Julia, muchacha alta, de silueta agradable aunque su rostro carece de atractivo, también con la cabeza cubierta, termina de arreglar el comedor. Al levantarse el telón puede vérsela de pie sobre una silla, colgando una lámina en la pared. La línea de su cuerpo se destaca con bastante vigor. No es propiamente la tradicional virgen provinciana, sino una mezcla curiosa de pudor y provocación, de represión y de fuego. César Rubio es moreno; su figura recuerda vagamente la de Emiliano Zapata y, en general, la de los hombres y las modas de 1910, aunque vista impersonalmente y sin moda. Su hijo Miguel parece más joven de lo que es; delgado y casi pequeño, es más bien un muchacho mal alimentado que fino. Está sentado sobre el cajón de los libros, enjugándose la frente.

CESAR.—¿Estás cansado, Miguel?

MIGUEL.—El calor es insoportable.

CESAR.—Es el calor del Norte que, en realidad, me hacía falta en México. Verás qué bien se vive aquí.

JULIA.—*(Bajando)* Lo dudo.

CESAR.—Sí, a ti no te ha gustado venir al pueblo.

JULIA.—A nadie le gusta ir a un desierto cuando tiene veinte años.

CESAR.—Hace veinticinco años era peor, y yo nací aquí y viví aquí. Ahora tenemos la carretera a un paso.

JULIA.—Sí. . . podré ver pasar los automóviles como las vacas miran pasar los trenes de ferrocarril. Será una diversión.

CESAR.—*(Mirándola fijamente)* No me gusta que resientas tanto este viaje, que era necesario.

Elena se acerca.

JULIA.—Pero, ¿por qué era necesario? Te lo puedo decir, papá. Porque tú no conseguiste hacer dinero en México.

MIGUEL.—Piensas demasiado en el dinero.

JULIA.—A cambio de lo poco que el dinero piensa en mí. Es como en el amor, cuando nada más uno de los dos quiere.

CESAR.—¿Qué sabes tú del amor?

JULIA.—Demasiado. Sé que no me quieren. Pero en este desierto hasta podré parecer bonita.

ELENA.—*(Acercándose a ella)* No es la belleza lo único que hace acercarse a los hombres, Julia.

JULIA.—No. . . pero es lo único que no los hace alejarse.

ELENA.—De cualquier modo, no vamos a estar aquí toda la vida.

JULIA.—Claro que no, mamá. Vamos a estar toda la muerte. *(César la mira pensativamente)*

ELENA.—De nada te servía quedarte en México. Alejándote, en cambio, puedes conseguir que ese muchacho piense en ti.

JULIA.—Sí. . . con alivio, como en un dolor de muelas ya pasado. Ya no le doleré. . . y la extracción no le dolió tampoco.

MIGUEL.—*(Levantándose de la caja)* Si decidimos quejarnos, creo que yo tengo mayores motivos que tú.

CESAR.—¿También tú has perdido algo por seguir a tu padre?

MIGUEL.—*(Volviéndose a otro lado y encogiéndose de hombros)* Nada. . . una carrera.

CESAR.—¿No cuentas los años que perdiste en la Universidad?

MIGUEL.—*(Mirándolo)* Son menos que los que *tú* has perdido en ella.

ELENA.—*(Con reproche)* Miguel.

CESAR.—Déjalo que hable. Yo perdí todos esos años por mantener viva a mi familia. . . y por darte a ti una carrera. . . también un poco porque creía en la universidad como un ideal. No te pido que lo comprendas, hijo mío, porque no podrías. Para ti la universidad no fue nunca más que una huelga permanente.

MIGUEL.—Y para ti una esclavitud eterna. Fueron los profesores como tú los que nos hicieron desear un cambio.

CESAR.—Claro, queríamos enseñar.

ELENA.—Nada te dio a ti la universidad, César, más que un sueldo que nunca nos ha alcanzado para vivir.

CESAR.—Todos se quejan, hasta tú. Tú misma me crees un fracasado, ¿verdad?

ELENA.—No digas eso.

CESAR.—Mira las caras de tus hijos: ellos están enteramente de acuerdo con mi fracaso. Me consideran como a un muerto. Y, sin embargo, no hay un solo hombre en México que sepa todo lo que yo sé de la

25

revolución. Ahora se convencerán en la escuela, cuando mis sucesores demuestren su ignorancia.

MIGUEL.—¿Y de qué te ha servido saberlo? Hubiera sido mejor que supieras menos de revolución, como los generales, y fueras general. Así no hubiéramos tenido que venir aquí.

JULIA.—Así tendríamos dinero.

ELENA.—Miguel, hay que llevar arriba este cajón de libros.

MIGUEL.—Ahora ya hemos empezado a hablar, mamá, a decir la verdad. No trates de impedirlo. Más vale acabar de una vez. Ahora es la verdad la que nos dice, la que nos grita a nosotros... y no podemos evitarlo.

CESAR.—Sí, más vale que hablemos claro. No quiero ver a mi alrededor esas caras silenciosas que tenían en el tren, reprochándome el no ser general, el no ser bandido inclusive, a cambio de que tuviéramos dinero. No quiero que volvamos a estar como en los últimos días en México, rodeados de pausas. Déjalos que estallen y lo digan todo, porque también yo tengo mucho que decir, y lo diré.

ELENA.—Tú no tienes nada que decir ni que explicar a tus hijos, César. Ni debes tomar así lo que ellos digan: nunca han tenido nada... nunca han podido hacer nada.

MIGUEL.—Sí, pero ¿por qué? Porque nunca lo vimos a él poder nada, y porque él nunca tuvo nada. Cada quien sigue el ejemplo que tiene.

JULIA.—¿Por culpa nuestra hemos tenido que venir a este desierto? Te pregunto qué habíamos hecho nosotros, mamá.

CESAR.—Sí, ustedes quieren la capital; tienen miedo a vivir y a trabajar en un pueblo. No es culpa de ustedes, sino mía por haber ido allá también, y es culpa de todos los que antes que yo han creído que es allá donde se triunfa. Hasta los revolucionarios aseguran que las revoluciones sólo pueden ganarse en México. Por eso vamos todos allá. Pero ahora yo he visto que no es cierto, y por eso he vuelto a mi pueblo.

MIGUEL.—No... lo que has visto es que *tú* no ganaste nada; pero hay otros que han tenido éxito.

CESAR.—¿Lo tuviste tú?

MIGUEL.—No me dejaste tiempo.

CESAR.—¿De qué? ¿De convertirte en un líder estudiantil? Tonto, no es eso lo que se necesita para triunfar.

MIGUEL.—Es cierto, tú has tenido más tiempo que yo.

JULIA.—Aquí, ni con un siglo de vida haremos nada. *(Se sienta con violencia)*

CESAR.—¿Qué has perdido tú por venir conmigo, Julia?

JULIA.—La vista del hombre a quien quiero.

ELENA.—Eso era precisamente lo que te tenía enferma, hija.

CESAR.—*(En el centro, machacando un poco las palabras)* Un profesor de universidad, con cuatro pesos diarios, que nunca pagaban a tiempo, en una universidad en descomposición, en la que nadie enseñaba ni nadie aprendía ya... una universidad sin clases. Un hijo que pasó seis años en huelgas, quemando cohetes y gritando, sin estudiar nunca. Una hija... *(Se detiene)*

JULIA.—Una hija fea.

Elena se sienta cerca de ella y la acaricia en la cabeza. Julia se aparta de mal modo.

CESAR.—Una hija enamorada de un fifí de bailes que no la quiere. Esto era México para nosotros. Y porque se me ocurre que podemos salvarnos todos volviendo al pueblo donde nací, donde tenemos por lo menos una casa que es nuestra, parece que he cometido un crimen. Claramente les expliqué por qué quería venir aquí.

MIGUEL.—Eso es lo peor. Si hubiéramos tenido que ir a un lugar fértil, a un campo; pero todavía venimos aquí por una ilusión tuya, por una cosa inconfesable. . .

CESAR.—¿Inconfesable? No conoces el precio de las palabras. Va a haber elecciones en el Estado, y yo podría encontrar un acomodo. Conozco a todos los políticos que juegan. . . podré convencerlos de que funden una universidad, y quizá seré rector de ella.

ELENA.—Ninguno de ellos te conoce, César.

CESAR.—Alguno hay que fue condiscípulo mío.

ELENA.—¿Quién ha hecho nada por ti entre ellos?

CESAR.—No en balde he enseñado la historia de la revolución tantos años; no en balde he acumulado datos y documentos. Sé tantas cosas sobre todos ellos, que tendrán que ayudarme.

MIGUEL.—*(De espaldas al público)* Eso es lo inconfesable.

CESAR.—*(Dándole una bofetada)* ¿Qué puedes reprocharme tú a mí? ¿Qué derecho tienes a juzgarme?

MIGUEL.—*(Se vuelve lentamente hacia el frente conforme habla)* El de la verdad. Quiero vivir la verdad porque estoy harto de apariencias. Siempre ha sido lo mismo. De chico, cuando no tenía zapatos, no podía salir a la calle, porque mi padre era profesor de la universidad y qué irían a pensar los vecinos. Cuando llegaba tu santo, mamá, y venían invitados, las sillas y los cubiertos eran prestados todos, porque había que proteger la buena reputación de la familia de un profesor universitario... y lo que se bebía y se comía era fiado, pero ¡qué pensarían las gentes si no hubiera habido de beber y de comer!

ELENA.—Miguel, no tienes derecho a reprocharnos el ser pobres. Tu padre ha trabajado siempre para ti.

MIGUEL.—¡Pero si no es el ser pobres lo que les reprocho! ¡Si yo quería salir descalzo a jugar con los demás chicos! Es la apariencia, la mentira lo que me hace sentirme así. ¡Y, además, era cómico! ¡Era cómico porque no engañaban a nadie... ni a los invitados que iban a sentarse en sus propias sillas, a comer con sus propios cubiertos... ni al tendero que nos fiaba las mercancías! Todo el mundo lo sabía, y si no se reían de ustedes era porque ellos vivían igual y hacían lo mismo. ¡Pero era cómico! *(Se echa a llorar y se deja caer en uno de los sillones)*

JULIA.—*(Levantándose)* No sé qué puedes decir tú cuando yo pasé por cosas peores... siempre mal vestida... y siendo, además, como soy... fea.

ELENA.—*(Levantándose y yendo a ella)* Hija, ¡no es cierto!

Le toma la cabeza y la besa. Esta vez Julia se deja hacer.

CESAR.—*(Después de una pausa)* Hay que subir esos libros, Miguel. *(Miguel se levanta, secándose los ojos, con gesto casi infantil, y entre los dos hombres levantan la caja)* Déjanos pasar, Elena. *(Elena se hace a un lado dejando libre el paso hacia la escalera. En ese momento llaman a la puerta)* ¿Han tocado? *(Pequeño silencio durante el cual todos miran a la puerta. Nueva llamada. César deja la caja en el suelo y contesta, mientras Miguel se aparta de la caja)* ¿Quién es?

LA VOZ DE BOLTON.—*(Con un levísimo acento*

norteamericano) ¿Hay un teléfono aquí? He tenido un accidente.

César se dirige a la puerta y abre. Aparece en el marco el profesor Oliver Bolton, de la Universidad de Harvard. Tiene treinta años y una agradable apariencia deportiva. Es de un rubio muy quemado por largos baños de sol, y viste un ligero traje de verano.

CESAR.—Pase usted.

BOLTON.—*(Entrando)* Siento mucho molestar, pero hago mi primer viaje a su hermoso país en automóvil, y mi coche. . . descompuesto en la carretera. ¿Puedo telefonear?

CESAR.—No tenemos teléfono aquí. Lo siento.

BOLTON.—Oh, yo puedo reparar el coche, *(sonríe)* pero está todo oscuro ahora. Tendría que esperar hasta mañana. ¿Hay un hotel cerca?

CESAR.—No. No encontrará usted nada en varios kilómetros.

BOLTON.—*(Sonriendo con vacilación)* Entonces. . . odio imponerme a la gente. . . pero quizá podría pasar la noche aquí. . . si ustedes quieren, como en un hotel. Me permitirán pagar.

CESAR.—*(Después de una pequeña pausa y un cambio de miradas con Elena)* No será necesario, pero estamos recién instalados y no tenemos muebles suficientes.

MIGUEL.—Puede dormir en mi cama. Yo dormiré aquí. *(Señala el sofá de tule)*

BOLTON.—*(Sonriendo)* Oh, no. . . mucha molestia. Yo dormiré aquí.

CESAR.—No será ninguna molestia. Mi hijo le cederá su cama; nos arreglaremos.

BOLTON.—¿Es seguro que no es molestia?

MIGUEL.—Seguro.

30

BOLTON.—Gracias. Entonces traeré mi equipaje del coche.

CESAR.—Acompáñalo, Miguel.

BOLTON.—Gracias. Mi nombre es Oliver Bolton. *(Hace un saludo y sale; Miguel lo sigue)*

ELENA.—No debiste recibirlo en esa forma. No sabemos quién es.

CESAR.—No; pero pensaría muy mal de México si la primera casa a donde llega le cerrara sus puertas.

ELENA.—Eso lo enseñaría a no llegar a casas pobres. Yo no podría hacer esto, dormir en casa ajena.

CESAR.—Parece decente, además.

ELENA.—Con los americanos nunca sabe uno: todos visten bien, todos visten igual, todos tienen autos. Para mí son como chinos; todos iguales. Voy a poner sábanas en la cama de Miguel. *(Sale por la puerta izquierda)*

Julia, que se había sentado junto a la ventana, se levanta y se dirige hacia la misma puerta. César, sin mirarla de frente, la llama a media voz.

CESAR.—Julia. . .

JULIA.—*(En la puerta, sin volverse)* Mande.

CESAR.—Ven acá. *(Ella se acerca; él se sienta en el sofá)* Siéntate, quiero hablar contigo.

JULIA.—*(Automática)* No nos ha quedado mucho que decir, ¿verdad?

CESAR.—Julia, ¿no te arrepientes un poco de haber tratado con tanta dureza a tu padre?

JULIA.—Pregúntale a Miguel si él se arrepiente. Todo esto tenía que suceder algún día. Hoy es igual que mañana. Me arrepiento de haber nacido.

CESAR.—¡Hija! Sólo la juventud puede hablar así. Exageras porque te humillaría que tu tragedia no fuera grandiosa. Todo porque un muchacho sin cabeza no te ha querido. *(Julia se vuelve a otro lado)* Y bien, déjame decirte una cosa: no se fijó en ti, no te vio bien.

JULIA.—No hablemos más de eso. *(Con amargura)* No hizo más que verme. Si no me hubiera visto. . .

CESAR.—Quiero que sepas que al venir aquí lo he hecho también pensando en ti, en ustedes. . .

JULIA.—Gracias. . .

CESAR.—Si crees que no comprendo que he fracasado en mi vida. . . si crees que me parece justo que ustedes paguen por mis fracasos, te equivocas. Yo también lo quiero todo para ti. Si crees que no saldremos de este lugar a algo mejor, te equivocas. Estoy dispuesto a todo para asegurar tu porvenir.

JULIA.—*(Levantándose)* Gracias, papá. ¿Es eso todo. . .?

CESAR.—*(Deteniéndola por un brazo)* Si crees que eres fea, te equivocas, Julia. Quizá no debería yo decirte esto. . . pero *(bajando mucho la voz)* tienes un cuerpo admirable. . . eso es lo que importa. *(Se limpia la garganta)*

JULIA.—*(Desasiéndose, lo mira)* ¿Por qué me dices eso?

CESAR.—*(Mirándola a los ojos, lentamente)* Porque no te conoces, porque no tienes conciencia de ti. Porque soy el único hombre que hay aquí para decírtelo. Miguel no sabe. . . y aquel otro, imbécil, no se fijó en ti. *(Mira a otro lado)* Tienes lo que los hombres buscamos, y eres inteligente.

JULIA.—*(Con voz blanca)* Pareces otro de repente, papá.

CESAR.—A veces soy un hombre todavía. Serás feliz, Julia, te lo juro.

JULIA.—Me avergüenza guardarte rencor, padre, por haberme hecho nacer. . . pero lo que siento es algo contra mí, no contra ti... ¡Siento tanto no poder felicitarte por tener una hija bonita! A veces me asfixio, me siento como si no fuera yo más que una cara fea... *(César la acaricia ligeramente)* monstruosa, sin cuerpo. Pero no te odio, créelo, ¡no te odio! *(Lo besa)*

CESAR.—He pensado muchas veces, viéndote crecer, que pudiste ser la hija de un hombre ilustre, único en su tipo; pero ya ves: todo lo que sé no me ha servido de nada hasta ahora. Mi conocimiento me parece a menudo una podredumbre interior, porque no he podido crear nada con lo que sé... ni siquiera un libro.

JULIA.—Nos parecemos mucho, ¿verdad?

CESAR.—Quizá eso es lo que nos aleja, Julia.

JULIA.—*(Con un arrebato casi infantil, el primero)* ¡Pero no nos alejará ya! ¡Te lo prometo! De cualquier modo, no quiero quedarme mucho tiempo aquí. Prométeme...

CESAR.—Te lo prometo... pero a tu vez prométeme tener paciencia, Julia.

JULIA.—Sí. *(Con una sonrisa amarga)* Pero... ¿sabes por qué me siento tan mal aquí, como si llevara un siglo en esta casa? Porque todo esto es para mí como un espejo enorme en el que me estoy viendo siempre.

CESAR.—Tienes que olvidar esas ideas. Yo haré que las olvides.

Se oye a Elena bajar la escalera.

LA VOZ DE ELENA.—César, ¿crees que ya habrá cenado este gringo? *(Entra)* No tenemos mucho, sabes.

CESAR.—Habrá que ofrecerle. Qué diría si no... Mañana iremos al pueblo por provisiones, y yo averiguaré dónde está Navarro para ir a verlo y arreglar abajo de una vez.

ELENA.—¿Navarro?

CESAR.—El general, según él. Es un bandido, pero es el posible candidato... el que tiene más probabilidades. No se acordará de mí; tendré que hacerle recordar... Esto es como volver a nacer, Elena, empezar de nuevo; pero en México empieza uno de nuevo todos los días.

ELENA.—*(Moviendo la cabeza)* Miguel tiene razón; si esto fuera campo, sería mucho mejor para todos. No tendrías que meterte en política.

CESAR.—En México todo es política... la política es el clima, el aire.

ELENA.—No sé. Creo que a pesar de todo habría preferido que siguieras en la universidad...

CESAR.—¿Olvidas que en la última crisis me echaron?

ELENA.—Quizá si hubieras esperado un poco, hablado con el nuevo rector, te habrían devuelto tu puesto.

CESAR.—¿Cuatro pesos? La pobreza segura.

ELENA.—Segura, tú lo has dicho.

JULIA.—*(Con un estremecimiento)* No... la pobreza no. Yo creo que es mejor, después de todo, que hayamos venido aquí. Es un cambio.

ELENA.—Hace un momento te quejabas.

JULIA.—Pero es un cambio.

CESAR.—No sé por qué, pero tengo la seguridad de que algo va a ocurrir aquí.

ELENA.—Voy a preparar la cena. Ojalá no te equivoques, César.

CESAR.—¿Por qué no dices "de nuevo"?

ELENA.—*(Tomándole la mano y oprimiéndosela con ternura)* Siempre tienes esa idea. Es absurdo. Si fuera yo más joven, acabarías por influirme. *(Se desprende)* Ayúdame, Julia.

Las mujeres pasan al comedor y de allí a la cocina.

César toma un libro del cajón, lo hojea, se encoge de hombros y vuelve a arrojarlo en él.

CESAR.—No quedó lugar donde poner mis libros, ¿verdad? *(Espera un momento la respuesta, que no viene)* ¿No quedó lugar. . .?

Se dirige al hablar hacia el comedor, cuando entran Miguel y Bolton llevando una maleta cada uno.

BOLTON.—Aquí estamos.

CESAR.—¿Ha cenado usted, señor. . .?

BOLTON.—Bolton, Oliver Bolton. *(Deja la maleta y mientras habla saca de su cartera una tarjeta que entrega a César)* Tomé algo esta tarde en el camino, gracias. Odio molestar.

CESAR.—*(Mirando la tarjeta)* Un bocado no le caerá mal. Veo que es usted profesor de la Universidad de Harvard.

BOLTON.—Oh, sí. De historia latinoamericana. *(Recogiendo su maleta)* Voy a asearme un poco. ¿Usted permite?

MIGUEL.—Arriba hay un lavabo. Me adelanto para enseñarle el camino. *(Lo hace)*

BOLTON.—Gracias.

Los dos salen. Se les oye subir la escalera. César mira y remira la tarjeta y teniéndola entre los dedos de la mano derecha golpea con ella su mano izquierda. Una sonrisa bastante peculiar se detiene por un momento en sus labios. Se guarda la tarjeta y empuja el cajón de libros hasta el comedor, en uno de cuyos rincones lo coloca. Mientras lo hace, Elena pasa de la cocina al comedor buscando unos platos.

ELENA.—Me pareció que me hablabas hace un momento.

CESAR.—No.

ELENA.—¿Has puesto los libros aquí? Estorbarán, y no quedó lugar para el librero, sabes.

CESAR.—*(Después de una pequeña pausa)* Eso era lo que quería preguntarte.

ELENA.—Creí que te enojarías.

CESAR.—Es curioso, Elena.

ELENA.—¿Qué?

CESAR.—Este americano es profesor de historia, también. . . profesor de historia latinoamericana en su país.

ELENA.—*(Sonriendo)* Entonces será pobre.

CESAR.—¿Otro reproche?

ELENA.—¡No! Ya sabes que yo no tomo en serio esas cosas que tanto atormentan a Julia y a ti. Se es pobre como se es morena. . . y yo nunca he tenido la idea de teñirme el pelo.

CESAR.—Es que crees que no haré dinero nunca.

ELENA.—No lo creo, *(con ternura)* lo sé, señor Rubio, y estoy tranquila. Por eso me da recelo que te metas en cosas de política.

CESAR.—No tendría yo que hacerlo si fuera profesor universitario en los Estados Unidos, si ganara lo que este gringo, que es bastante joven. *(Elena se dirige sin contestar a la puerta de la cocina)* Elena. . .

ELENA.—Tengo que ir a la cocina. ¿Qué quieres?

CESAR.—Estaba yo pensando que quizás. . . Ya sabes cuánto se interesan los americanos por las cosas de México. . .

ELENA.—Si no se interesaran tanto sería mucho mejor.

CESAR.—Escucha. Estaba yo pensando que quizás este hombre pueda conseguirme algo allá. . . una clase de historia de la revolución mexicana. Sería magnífico.

ELENA.—Desde luego: podrías aprender inglés. Despierta, César, y déjame preparar la cena.

CESAR.—¿Por qué me lo echas todo abajo siempre?

ELENA.—Para que no te caigas tú. Me da miedo que te hagas ilusiones con esa velocidad... Siempre has estado enfermo de eso, y siempre he hecho lo que he podido por curarte.

CESAR.—¿Pero no te das cuenta? No hay un hombre en el mundo que conozca mi materia como yo. Ellos lo apreciarían.

Elena lo mira sonriendo y sale. César vuelve a sacar la tarjeta de Bolton, la mira y le da vueltas entre los dedos mientras pasa a la sala. Miguel regresa al mismo tiempo.

MIGUEL.—*(Seco)* ¿Quieres que subamos los libros?

CESAR.—*(Abstraído en su sueño)* ¿Qué?

MIGUEL.—Los libros. ¿Quieres que los subamos?

CESAR.—No... después... los he arrinconado en el comedor.

Se sienta y saca del bolsillo un paquete de cigarros de hoja y lía uno metódicamente.

MIGUEL.—*(Acercándose un paso)* Papá.

CESAR.—*(Encendiendo su cigarro)* ¿Qué hay?

MIGUEL.—He reflexionado mientras acompañaba al americano y él hablaba.

CESAR.—*(Distraído)* Habla notablemente bien el español, ¿te has fijado que pronuncia la *ce*?

MIGUEL.—Probablemente no tenía yo derecho a decirte todas las cosas que te dije, y he decidido irme.

CESAR.—¿Adónde?

MIGUEL.—Quiero trabajar en alguna parte.

CESAR.—¿Te vas por arrepentimiento? *(Miguel no contesta)* ¿Es por eso?

MIGUEL.—Creo que es lo mejor. Ves. . . te he perdido el respeto.

CESAR.—Creí que no te habías dado cuenta.

MIGUEL.—Pero yo no puedo imponerte mis puntos de vista. . . no puedo dirigir tu conducta.

CESAR.—Ah.

MIGUEL.—Reconozco tu libertad, déjame libre tú también. Quiero dedicar mi tiempo a mi vida.

CESAR.—¿Cómo la dirigirás?

MIGUEL.—*(Obstinado)* Después de lo que nos hemos dicho. . . y me has pegado. . .

CESAR.—*(Mirando su mano)* Hace mucho que no lo hacía. Pero no es esa tu única razón. Cuando nos vimos frente a frente durante aquella huelga. . . tú entre los estudiantes, yo con el orden. . . me dijiste cosas peores. . . un discurso. Y sin embargo, volviste a cenar a casa. . . muy tarde. Yo te esperé. Me pediste perdón. No pensaste en irte. . .

MIGUEL.—Era otra situación. No quiero seguir viviendo en la mentira.

CESAR.—En esta mentira; pero hay otras. ¿Ya escogiste la tuya? Antes era la indisciplina, la huelga.

MIGUEL.—Eso era por lo menos un impulso hacia la verdad.

CESAR.—Hacia lo que tú creías que era la verdad. Pero ¿qué frutos te ha dado hasta ahora?

MIGUEL.—No sé. . . no me importa. No quiero vivir en tu mentira ya, en la que vas a cometer, sino en la mía. *(Violentamente, en un arrebato infantil de los característicos en él)* Papá, si tú quisieras prometerme que no harás nada. . . *(Le echa un brazo al cuello)*

CESAR.—Nada. . . ¿de qué?

MIGUEL.—De lo que quieres hacer aquí con los

políticos. Lo dijiste una vez en México y esta noche de nuevo.

CESAR.—No sé de qué hablas.

MIGUEL.—Sí lo sabes. Quieres usar lo que sabes de ellos para conseguir un buen empleo. Eso es. . . *(baja la voz)* chantaje.

CESAR.—*(Auténticamente avergonzado por un momento)* No hables así.

MIGUEL.—*(Vehemente, apretando el brazo de su padre)* Entonces dime que no harás nada de eso. ¡Dímelo! Yo te prometo trabajar, ayudarte en todo, cambiar. . .

CESAR.—*(Tomándole la barba como a un niño)* Está bien, hijo.

MIGUEL.—*(Cálido)* ¿Me lo juras?

CESAR.—Te prometo no hacer nada que no sea honrado.

MIGUEL.—Gracias, papá. *(Se aleja como para irse. Se vuelve de pronto y corre a él)* Perdóname todo lo que dije antes. *(Se oye bajar a Bolton)*

CESAR.—*(Dándole la mano)* Ve a asearte un poco para cenar.

BOLTON.—*(Entrando)* ¿No interrumpo?

CESAR.—Pase usted, siéntese. *(Bolton lo hace)* ¿Un cigarro?

BOLTON.—¡Oh, de hoja! *(Ríe)* No sé arreglarlos, gracias. *(Saca los suyos)* Mucho calor, ¿eh? ¿Fuma usted? *(Ofreciendo la caja a Miguel)*

MIGUEL.—No, gracias. Con permiso. *(Sale por la izquierda)*

CESAR.—*(Dándole fuego)* ¿De modo que usted enseña historia latinoamericana, profesor?

BOLTON.—Es mi pasión; pero me interesa especialmente la historia de México. Un país increíble, lleno de maravillas y de monstruos. Si usted supiera qué poco se conocen las cosas de México en mi tierra *(pronuncia Mehico),* sobre todo en el Este. Por esto he venido aquí.

CESAR.—¿A investigar?

BOLTON.—*(Satisfecho de explicarse y de entrar en su materia)* Hay dos casos extraordinarios, muy interesantes para mí, en la historia contemporánea de México. Entonces, mi universidad me manda en busca de datos, y, además, tengo una beca para hacer un libro.

CESAR.—¿Puedo saber a qué casos se refiere usted?

BOLTON.—¿Por qué no? *(Ríe)* Pero si usted sabe algo, se lo quitaré. Un caso es el de Ambrose Bierce, este americano que viene a México, que se une a Pancho Villa y lo sigue un tiempo. Para mí, Bierce descubrió algo irregular, algo malo en Villa, y por esto Villa lo hizo matar. Una gran pérdida para los Estados Unidos. Hombre interesante. Bierce, gran escritor crítico. Escribió el *Devil's Dictionary.* Bueno, él tenía esta gran ilusión de Pancho Villa como justiciero; quizá sufrió un desengaño, y lo dijo: era un crítico. Y Villa era como los dioses de la guerra, que no quieren ser criticados. . . y era un hombre, y tampoco los hombres quieren ser criticados, y lo mató.

CESAR.—Pero no hay ninguna certeza de eso. Ambrose Bierce llegó a México en noviembre de 1913; se reunió con las fuerzas de Villa en seguida, y desapareció a raíz de la batalla de Ojinaga. Fueron muchas las bajas; los muertos fueron enterrados apresuradamente, o abandonados y quemados después, sin identificar. Con toda probabilidad, Bierce fue uno de ellos. O bien, fue fusilado por Urbina, en 1915, cuando intentó pasarse al ejército constitucionalista. Pero Villa nada tuvo que ver en ello.

BOLTON.—Mi tesis es más romántica, quizás; pero Bierce no era hombre para desaparecer así, en batalla, por accidente. Para mí, fue deliberadamente destruido. Destruido es la palabra. Y no era un traidor. Sin embargo, usted parece bien enterado.

CESAR.—*(Con una sonrisa)* Algo. Tengo algunos documentos sobre los extranjeros que acompañaron a Villa. . . Santos Chocano, Ambrose Bierce, John Reed. . .

BOLTON.—¿Es posible? ¡Oh, pero entonces usted me será utilísimo! Quizá sabe algo también sobre el otro caso.

CESAR.—¿Cuál es el otro caso?

BOLTON.—El de un hombre extraordinario. Un general mexicano, joven, el más grande revolucionario, que inició la revolución en el Norte, hizo comprender a Madero la necesidad de una revolución, dominó a Villa. A los veintitrés años era general. Y también desapareció una noche. . . destruido como Ambrose Bierce.

CESAR.—*(Pausadamente)* ¿Se refiere usted a César Rubio?

BOLTON.—¡Oh, pero usted sabe! Si yo pudiera encontrar documentos sobre él, los pagaría muy caros; mi universidad me respalda. Porque todos creen hasta hoy, que César Rubio es una. . . *saga,* un mito.

CESAR.—*(Echando la cabeza hacia atrás, con el gesto de recordar)* General a los veintitrés años, y el más extraordinario de todos, es cierto. Pocas gentes saben que se levantó en armas precisamente a raíz de la entrevista Creelman-Díaz, el 5 de septiembre de 1908. Se levantó aquí, en el Norte, y se dirigió a Monterrey con cien hombres. En Hidalgo. . . mientras el general Díaz y cada gobernador repetían el grito de independencia, un destacamento federal barrió a todos los hombres de César Rubio. Sólo él y dos compañeros suyos quedaron con vida.

BOLTON.—*(Anhelante)* Sí, sí.

CESAR.—César fue entonces a Piedras Negras, donde entrevistó a don Pancho Madero y lo convenció de la necesidad de un cambio, de una revolución. Madero se decidió entonces, y sólo entonces, a publicar *La sucesión presidencial.* Mientras en todo el país se celebraban las fiestas del Centenario, Rubio sostuvo las primeras batallas, recorrió toda la República, puso en movimiento a Madero, agitó a algunos diputados y preparó las jornadas de noviembre. No hubo un solo disfraz que no usara, una sola acción que no acometiera, aunque lo perseguía toda la policía porfirista.

BOLTON.—*(Excitadísimo)* ¿Está usted seguro? ¿Tiene documentos?

CESAR.—Tengo documentos.

BOLTON.—Pero entonces, esto es maravilloso... usted sabe más que ningún historiador mexicano.

CESAR.—*(Con una sonrisa extraña)* Tengo mis motivos.

Entra Elena de la cocina, y aunque sin escuchar ostensiblemente, sigue la conversación a la vez que sale y regresa, disponiendo la mesa para la cena. César se vuelve con molestia para ver quien ha entrado.

BOLTON.—Pero lo más interesante de Rubio no es esto.

CESAR.—¿Se refiere usted a su crítica del gobierno de Madero?

BOLTON.—No, no; eso, como el levantamiento contra Huerta, como sus... *(busca la palabra)* sus disensiones con Carranza, Villa y Zapata, pertenecen a su fuerte carácter.

CESAR.—¿A qué se refiere usted entonces? *(Elena sale)*

BOLTON.—A su desaparición misma, a su destrucción... una cosa tan fuera de su carácter, que no puede explicarse. ¿Por qué desapareció este hombre en un momento tan decisivo de la revolución, para dejar el control a Carranza? No creo que haya muerto; pero si murió, ¿cómo, por qué murió?

CESAR.—*(Soñador)* Sí, fue el momento decisivo, ¿verdad?... una noche de noviembre de 1914.

BOLTON.—¿Sabe usted algo sobre eso? Dígamelo, deme documentos. Mi universidad los pagará bien. *(Vuelve Elena, César la ve)*

CESAR.—*(Despertando)* Su universidad... Hace poco hablaba yo a mi esposa de las universidades de ustedes... Son grandes.

BOLTON.—¡Oh! Fuera de Harvard, usted sabe... distinguidas quizá, pero jóvenes, demasiado jóvenes. Pero hábleme más de este asunto. *(César se vuelve a mirar hacia Elena, que en este momento permanece de espaldas pero en toda apariencia sin hacer nada que le impida escuchar)* No tenga usted recelo a darme informes. Mi universidad tiene mucho dinero para invertir en esto.

CESAR.—Una noche de noviembre de 1914... pronto hará veinticuatro años. *(Vuelve a mirar hacia Elena, que dispone la mesa)* ¿Por qué tiene usted tanto interés en esto?

BOLTON.—Personalmente tengo más que interés... entusiasmo por México, una pasión; pero ningún hombre en México me ha interesado como este César Rubio. *(Ríe)* He acabado por contagiar a toda mi universidad de entusiasmo por este héroe. *(Elena sale y regresa en seguida, fingiéndose atareada)*

CESAR.—*(Observando a Elena mientras habla)* ¿Y por qué este héroe y no otro más tradicional, más... convencional, como Villa, o Madero, o Zapata? Ustedes los americanos admiran mucho a Villa desde que hizo andar a Pershing a salto de mata.

BOLTON.—*(Sonriendo)* Pero, ¿no comprende usted, que sabe tanto de César Rubio? El es el hombre que explica la revolución mexicana, que tiene un concepto total de la revolución y que no la hace por cuestión del gobierno, como unos, ni para el Sur, como otros, ni para satisfacer una pasión destructiva. Es el único caudillo que no es político, ni un simple militarista, ni una fuerza ciega de la naturaleza... y sin embargo *(Elena sale)* manda a los políticos, somete a los bandidos, es un gran militar... pacifista si puedo decir así.

CESAR.—Decía usted que su universidad tiene mucho dinero... ¿Cuánto, por ejemplo?

BOLTON.—*(Un poco desconcertado por lo directo de la pregunta)* No sé. A mí me han dado una suma para mi trabajo de búsqueda, pero podría consultar... si viera los documentos.

Julia entra a la cocina, cruza y se dirige a la puerta izquierda, saliendo. César la sigue con la vista, sin dejar de hablar, hasta que desaparece.

CESAR.—Parece que desconfía usted.

BOLTON.—No soy yo quien puede comprar, es Harvard.

CESAR.—*(Dudando)* Ustedes lo compran todo.

BOLTON.—*(Sonriendo)* ¿Por qué no, si es para la cultura?

CESAR.—Los códices, los manuscritos, los incunables, las joyas arqueológicas de México; comprarían a Taxco, si pudieran llevárselo a su casa. Ahora le toca el turno a la verdad sobre César Rubio.

BOLTON.—*(Ante lo inesperado del ataque)* No entiendo. ¿Está usted ofendido? Hace un momento parecía comunicativo.

CESAR.—También a mí me apasiona el tema. Pero todo lo que poseo es la verdad sobre César Rubio... y no podría darla por poco dinero... ni sin ciertas condiciones.

BOLTON.—Yo haré lo posible por hacer frente a ellas.

CESAR.—*(Desilusionado)* Ya sabía yo que regatearía usted.

BOLTON.—Perdón, es una expresión inglesa... hacer frente a sus condiciones, es decir... *(buscando)* ¡oh!, satisfacerlas.

CESAR.—Eso es diferente. *(Reenciende su cigarro de hoja)* Pero, ¿tiene usted una idea de la suma?

BOLTON.—*(Incómodo: esta actitud en un mexicano es inesperada)* No sé bien. Dos mil dólares... tres mil tal vez...

CESAR.—*(Levantándose)* Se me figura que tendrá usted que buscar sus informes en otra parte... y que no los encontrará.

BOLTON.—Oh, siento mucho. *(Se levanta)* Si es una cuestión de dinero podrá arreglarse. La universidad está interesada... yo estoy... apasionado, le digo. ¿Por qué no dice usted una cifra? *(Elena entra de la cocina)*

CESAR.—Yo diría una. *(Mirando hacia Elena y bajando la voz, con cierta impaciencia)* Yo diría diez.

BOLTON.—*(Arqueando las cejas)* ¡Oh, oh! Es mucho. *(Con sincero desaliento)* Temo que no aceptarán pagar tanto.

CESAR.—*(Haciendo seña de salir a Elena, que lo mira)* Entonces lo dejaremos allí, señor... *(Busca la tarjeta del norteamericano en las bolsas de su pantalón, la encuentra, la mira)* señor Bolton. *(Juega con la tarjeta)*

BOLTON.—Sin embargo, yo puedo intentar... intentaré...

CESAR.—Una noche de noviembre de 1914, señor Bolton —la noche del 17 de noviembre, para ser preciso—, César Rubio atravesaba con su asistente y dos ayudantes un paso de la sierra de Nuevo León para dirigirse a Monterrey y de allí a México, donde tenía cita con Carranza. Había mandado por delante un destacamento explorador, y a varios kilómetros lo seguía el grueso de sus fuerzas. En ese momento, Rubio tenía el contingente mejor organizado y más numeroso, y todos los triunfos en la mano. Era el hombre de la situación. Sin embargo, su ejército no lo alcanzó nunca, aunque siguió adelante esperando encontrarlo. Cuando se reunió con el destacamento explorador en San Luis Potosí diez días después, la oficialidad se enteró de que su jefe había desaparecido. Con él desaparecieron sus dos ayudantes, uno de los cuales era su favorito, y su asistente.

BOLTON.—Pero ¿qué pasó con él?

CESAR.—Eso es lo que vale diez mil dólares.

BOLTON.—*(Excitado)* Yo le ofrezco a usted completar esa suma con el dinero de mi beca, con una parte de mis ahorros, si la universidad paga más de seis. ¿Tiene usted confianza?

CESAR.—Sí.

BOLTON.—¿Tiene usted documentos?

CESAR.—*(Después de una breve duda)* Sí.

BOLTON.—Entonces dígame... me quemo por saber...

CESAR.—En un punto que puedo enseñarle, el ayudante favorito de César Rubio disparó tres veces sobre él y una sobre el asistente, que quedó ciego.

BOLTON.—¿Y qué pasó con el otro ayudante? Usted dijo dos.

CESAR.—*(Vivamente)* No... uno, su ayudante favorito. Rubio, antes de morir, alcanzó a matarlo... era el capitán Solís.

BOLTON.—Pero usted decía que el ejército no se reunió nunca con César Rubio. Si seguía el mismo camino, tuvo que encontrar los cuerpos. Y se sabe que el cuerpo de él no apareció nunca; no sé los otros.

CESAR.—Cuando usted vea el lugar, comprenderá. Rubio se desvió del camino sin darse cuenta, conversando con el ayudante. Más bien, el ayudante se encargó de desviarlo. Seguían marchando hacia Monterrey, pero no en línea recta. Se apartaron cuando menos un kilómetro hacia los montes.

BOLTON.—Pero, ¿quién ordenó este crimen?

CESAR.—Todo... las circunstancias, los caudillos que se odiaban y procuraban exterminarse entre sí... y que se asociaron contra él.

BOLTON.—¿Y los cuerpos, entonces?

CESAR.—Los cuerpos se pudrieron en el sitio en una oquedad de la falda de un cerro.

BOLTON.—¿El asistente?

CESAR.—Escapó, ciego. El registró los cadáveres cuando su dolor físico se lo permitió... él me contó a mí la historia.

BOLTON.—¿Y qué documentos tiene usted?

CESAR.—Tengo actas municipales acerca de sus asaltos, informes de sus escaramuzas y combates, versiones taquigráficas de algunas de sus entrevistas. . . una de ellas con Madero, otra con Carranza. El capitán Solís era un buen taquígrafo.

BOLTON.—No, no. Quiero decir. . . ¿qué pruebas de su muerte?

CESAR.—Los papeles de identificación de César Rubio. . . un telegrama manchado con su sangre, por el que Carranza lo citaba en México para diciembre.

BOLTON.—¿Nada más?

CESAR.—Solís tenía también un telegrama en clave, que he logrado descifrar, donde le ofrecían un ascenso y dinero si pasaba algo que no se menciona. . . pero sin firma.

BOLTON.—¿Eso es todo lo que tiene? *(Súbitamente desconfiado)* ¿Por qué está usted tan íntimamente enterado de estas cosas?

CESAR.—El asistente ciego me lo dijo todo.

BOLTON.—No. . . digo todas estas cosas. . . antes me ha dicho usted detalles desconocidos de la vida de César Rubio que ningún historiador menciona. ¿Cómo ha hecho usted para saber?

CESAR.—*(Con su sonrisa extraña)* Soy profesor de historia, como usted, y he trabajado muchos años.

BOLTON.—¡Oh, somos colegas! ¡Me alegro! Es indudable que entonces. . . ¿Por qué no ha puesto usted todo esto en un libro?

CESAR.—No lo sé. . . inercia; la idea de que hay demasiados libros me lo impide quizás. . . o soy infecundo, simplemente.

BOLTON.—No es verosímil. *(Se golpea los muslos con las manos y se levanta)* Perdóneme, pero no lo creo.

CESAR.—*(Levantándose)* ¿Cómo?

BOLTON.—No lo creo. . . no es posible.

CESAR.—No entiendo.

BOLTON.—Además, es contra toda lógica.

CESAR.—¿Qué?

BOLTON.—Esto que usted cuenta. No es lógico un historiador que no escribe lo que sabe. Perdone, profesor, no creo.

CESAR.—Es usted muy dueño.

BOLTON.—Luego, estos documentos de que habla no valen diez mil dólares. . . que son cincuenta mil pesos, perdone mi traducción. . . ni prueban la muerte de Rubio.

CESAR.—Entonces, busque usted por otro lado.

BOLTON.—*(Brillante)* Tampoco es lógico, sobre todo. Usted sabe qué hombre era César Rubio. . . el caudillo total, el hombre elegido. ¿Y qué me da? Un hombre como él, matado a tiros en una emboscada por su ayudante favorito.

CESAR.—No es el único caso en la revolución.

BOLTON.—*(Escéptico)* No, no. ¿El, que era el amo de la revolución, muere así nada más. . . cuando más necesario era? Me habla usted de cadáveres desaparecidos, que nadie ha visto. de papeles que no son prueba de su muerte.

CESAR.—Pide usted demasiado.

BOLTON.—El enigma es grande. Y la teoría parece absurda. No corresponde al carácter de un hombre como Rubio, con una voluntad tan magnífica de vivir, de hacer una revolución sana; no corresponde a su destino. No lo creo. *(Se sienta con mal humor y desilusión en uno de los sillones)*

CESAR.—*(Después de una pausa)* Tiene usted razón; no corresponde a su carácter ni a su destino. *(Pausa. Pasea un poco)* Y bien, voy a decirle la verdad.

BOLTON.—*(Iluminado)* Yo sabía que eso no podía ser cierto.

CESAR.—La verdad es que César Rubio no murió de sus heridas.

BOLTON.—¿Cómo explica usted su desaparición entonces? ¿Un secuestro hasta que Carranza ganó la revolución?

CESAR.—*(Con lentitud, como reconstruyendo)* Rubio salió de la sierra con su asistente ciego.

BOLTON.—Pero, ¿por qué no volvió a aparecer? No era capaz de emigrar, ni de esconderse.

CESAR.—*(Dubitativo, pausado)* En efecto... no era capaz. Sus heridas no tenían gravedad; pero enfermó a consecuencia de ellas... del descuido inevitable... tres, cuatro meses. Entretanto, Carranza promulgó la ley del 6 de enero de 1915, en Veracruz, como último recurso, y ganó la primera jefatura de la revolución. Esto agravó la enfermedad de César, y...

BOLTON.—¡No me diga usted ahora que murió de enfermedad, en su cama, como... como un profesor!

CESAR.—*(Mirándolo extrañamente)* ¿Qué quiere usted que le diga, entonces?

BOLTON.—La verdad... si es que usted la sabe. Una verdad que corresponda al carácter de César Rubio, a la lógica de las cosas. La verdad siempre es lógica.

CESAR.—Bien. *(Duda)* Bien. *(Pequeña pausa)* Enfermó más gravemente... pero no del cuerpo, cuando supo que la revolución había caído por completo en las manos de gente menos pura que él. Encontró que lo habían olvidado. En muchas regiones ni siquiera habían oído hablar de él, que era el autor de todo...

BOLTON.—Si hubiera sido americano *habría* tenido gran publicidad.

CESAR.—Los héroes mexicanos son diferentes. Encontró que lo confundían con Rubio Navarrete, con César Treviño. La popularidad de Carranza, de Zapata y de Villa, sus luchas, habían ahogado el nombre de César Rubio. *(Se detiene)* La conspiración del olvido había triunfado.

BOLTON.—Eso suena más humano, más posible.

CESAR.—Su enfermedad lo había debilitado mucho. El desaliento retardó su convalecencia. Cuando quiso volver, después de más de un año, fue inútil. No había lugar para él.

BOLTON.—*(Impresionado)* Sí... sí, claro. ¿Qué hizo?

CESAR.—Su ejército se había disuelto, sus amigos habían muerto en las grandes matanzas de aquellos años... otros lo habían traicionado. Decidió desaparecer.

BOLTON.—¿Va usted a decirme ahora que se suicidó?

CESAR.—*(Con la misma extraña sonrisa)* No, puesto que usted quiere la verdad lógica.

BOLTON.—¿Bien?

CESAR.—Se apartó de la revolución completamente desilusionado, y pobre.

BOLTON.—*(Con ansiedad)* ¡Pero vive!

CESAR.—*(Acentuando su sonrisa)* Vive. Más que nosotros dos.

BOLTON.—Le daré la cantidad que usted ha pedido si me lo prueba.

CESAR.—¿Qué prueba quiere usted?

BOLTON.—El hombre mismo. Quiero ver al hombre.

Elena pasa de la cocina al comedor llevando pan y servilletas.

CESAR.—Tiene usted que prometerme que no revelará la verdad a nadie. Sin esta condición no aceptaría el trato, aunque me diera usted un millón.

BOLTON.—¿Por qué?

CESAR.—Tiene usted que prometer. El no quiere que se sepa que vive.

BOLTON.—Pero, ¿por qué?

CESAR.—No sé. Quizás espera que la gente lo recuerde un día. . . que desee y espere su vuelta.

BOLTON.—Pero yo no puedo prometer el silencio. Yo voy a enseñar en los Estados Unidos lo que sé, mis estudiantes lo esperan de mí.

CESAR.—Puede usted decir que vive; pero que no sabe dónde está. *(Elena sale a la cocina)*

BOLTON.—*(Moviendo la cabeza)* La historia no es una novela. Mis estudiantes quieren los hechos y la filosofía de los hechos, pagan por ello, no por un sueño, un. . . mito.

CESAR.—Sin embargo, la historia no es más que un sueño. Los que la hicieron soñaron cosas que no se realizaron; los que la estudian sueñan con cosas pasadas; los que la enseñan *(con una sonrisa)* sueñan que poseen la verdad y que la entregan.

BOLTON.—¿Qué quiere usted que prometa entonces?

CESAR.—Prométame que no revelará la identidad actual de César Rubio. *(Elena sale a la cocina y vuelve con una sopera humeante)*

BOLTON.—*(Pausa)* ¿Puedo decir todo lo demás. . . y probarlo?

CESAR.—Sí.

BOLTON.—Trato hecho. *(Le tiende la mano)* ¿Cuándo me llevará usted a ver a César Rubio? ¿Dónde está?

CESAR.—*(La voz ligeramente empañada)* Quizá lo verá usted más pronto de lo que imagina.

BOLTON.—¿Qué ha hecho desde que desapareció? Su carácter no es para la inactividad.

CESAR.—No.

BOLTON.—¿Pudo dejar de ser un revolucionario?

CESAR.—Suponga usted que escogió una profesión humilde, oscura.

BOLTON.—¿El? Oh, sí. ¿Quizás arar el campo? El creía en la tierra.

CESAR.—Quizás; pero no era el momento. . .

BOLTON.—Es verdad.

CESAR.—Había otras cosas que hacer. . . había que continuar la revolución, limpiarla de las lacras personales de sus hombres. . .

BOLTON.—Sí. César Rubio *lo* haría. Pero, ¿cómo?

CESAR.—*(Con voz empañada siempre)* Hay varias formas. Por ejemplo, llevar la revolución a un terreno mental. . . pedagógico.

BOLTON.—¿Qué quiere usted decir?

CESAR.—Ser, en apariencia, un hombre cualquiera. . . un hombre como usted. . . o como yo. . . un profesor de historia de la revolución, por ejemplo.

BOLTON.—*(Cayendo casi de espaldas)* ¿Usted?

CESAR.—*(Después de una pausa)* ¿Lo he afirmado así?

BOLTON.—No. . . pero. . . *(Reaccionando bruscamente, se levanta)* Comprendo. ¡Por eso es por lo que no ha querido usted publicar la verdad! *(César lo mira sin contestar)* Eso lo explica todo, ¿verdad?

CESAR.—*(Mueve afirmativamente la cabeza. Con voz concentrada, con la vista fija en el espacio, sin ocuparse en Elena, que lo mira intensamente desde el comedor)* Sí. . . lo explica todo. El hombre olvidado, traicionado, que ve que la revolución se ha vuelto una mentira, un negocio, pudo decidirse a enseñar historia. . . la verdad de la historia de la revolución, ¿no?

Elena estupefacta, sin gestos, avanza unos pasos hacia los arcos.

BOLTON.—Sí. ¡Es. . . maravilloso! Pero usted. . .

CESAR.—*(Con su extraña sonrisa)* ¿Esto no le parece a usted increíble, absurdo?

BOLTON.—Es demasiado fuerte, demasiado. . . heroico; pero corresponde a su carácter. ¿Puede usted probar. . .?

ELENA.—*(Pasando a la sala)* La cena está lista. *(Va a la puerta izquierda y llama)* ¡Julia! ¡Miguel! ¡La cena!

Se oye a Miguel bajar rápidamente la escalera.

BOLTON.—*(A Elena)* Gracias, señora. *(A César)* ¿Puede usted?

César afirma con la cabeza. Entra Miguel. Julia llega un segundo después.

ELENA.—*(A Bolton)* Pase usted.

BOLTON.—*(Absorto)* Gracias. *(Se dirige al comedor; de pronto, se vuelve a César, que está inmóvil)* ¡Es maravilloso!

MIGUEL.—*(Mirándolo extrañado)* Pase usted.

BOLTON.—Maravilloso. ¡Oh, gracias!

ELENA.—Empieza a servir, Julia, ¿quieres?

Julia pasa al comedor. Miguel, que se ha quedado en la puerta, mira con desconfianza a Bolton, luego a César, percibiendo algo particular. César, consciente de esta mirada vigilante, camina unos pasos hacia el primer término, derecha. Elena lo sigue.

ELENA.—César. . .

CESAR.—*(Se vuelve bruscamente y ve a Miguel)* Entra en el comedor y atiende al señor *(mira la tarjeta)* Bolton. *(A Bolton)* Pase usted. Yo voy a lavarme, si me permite.

Se dirige a la izquierda bajo la mirada de Miguel que, después de dejar pasar a Bolton, se encoge de hombros y entra.

ELENA.—*(Que ha seguido a César a la izquierda, lo detiene por un brazo)* ¿Por qué hiciste eso, César?

CESAR.—*(Desasiéndose)* Necesito lavarme.

ELENA.—¿Por qué lo hiciste? Tú sabes que no está bien, que has *(muy bajo)* mentido.

César se encoge violentamente de hombros y sale. Elena permanece en el sitio siguiéndolo con la vista. Se oyen sus pasos en la escalera. Del comedor salen ahora voces.

JULIA.—Siéntese usted, señor.

BOLTON.—Gracias. Digo, sólo en la revolución mexicana pueden encontrarse episodios así, ¿verdad?

MIGUEL.—¿A qué se refiere usted?

BOLTON.—Hombres tan sorprendentes como...

ELENA.—*(Reaccionando bruscamente y dirigiéndose con energía al comedor)* Mis hijos no saben nada de eso, profesor. Son demasiado jóvenes.

Casi a la vez.

BOLTON.—*(Levantándose, absolutamente convencido ya)* ¡Oh, claro está, señora! Comprendo... pero es maravilloso de todas maneras.

TELON

ACTO SEGUNDO

Cuatro semanas más tarde, en casa del profesor César Rubio. Son las cinco de la tarde. Hace calor, un calor seco, irritante. Las puertas y la ventana están abiertas. Julia hace esfuerzos por leer un libro, pero frecuentemente abandona la lectura para abanicarse con él. Lleva un traje de casa, excesivamente ligero, que señala con demasiada precisión sus formas. Deja caer el libro con fastidio y se asoma a la ventana derecha. De pronto grita:

JULIA.—¿Carta para aquí?

Después de un instante se vuelve al frente con desaliento. Recoge el libro y vuelve nuevamente la cabeza hacia la ventana.

Mientras ella está así, el desconocido —Navarro— se detiene en el marco de la puerta derecha. Es un hombre alto, enérgico, de unos cincuenta y dos años. Tiene el pelo blanco y un bigote de guías a la kaiser, muy negro, que casi parece teñido. Viste, al estilo de la región, ropa muy ligera. Se detiene, se pone las manos en la cintura y examina la pieza. Al ver la forma de Julia destacada junto a la ventana, sonríe y se lleva instintivamente la mano a la guía del bigote. Julia se vuelve, levantándose. Al ver al desconocido se sobresalta.

DESCONOCIDO.—Buenas tardes. Me han dicho que vive aquí César Rubio. ¿Es verdad, señorita?

JULIA.—Yo soy su hija.

DESCONOCIDO.—¡Ah! *(Vuelve a retorcerse el bigote)* Conque vive aquí. Bueno, es raro.

JULIA.—¿Por qué dice usted eso?

DESCONOCIDO.—¿Y dónde está César Rubio?

JULIA.—No sé. . . salió.

DESCONOCIDO.—*(Con un gesto de contrariedad)* Regresaré a verlo. Tendré que verlo para creer. . .

JULIA.—Si quiere usted dejar su nombre, yo le diré. . .

DESCONOCIDO.—*(Después de pausa)* Prefiero sorprenderlo. Soy un viejo amigo. Adiós, señorita. *(Se atusa el bigote, sonríe con insolencia y recorre el cuerpo de Julia con los ojos. Ella se estremece un poco. El repite, mientras la mira)* Soy un amigo. . . un antiguo amigo. *(Sonríe para sí)* Y espero volver a verla a usted también, señorita.

JULIA.—Adiós.

DESCONOCIDO.—*(Sale contoneándose un poco y se vuelve a verla desde la puerta)* Adiós, señorita. *(Sale)*

Julia se encoge de hombros. Se oyen los pasos de Elena en la escalera. Julia reasume su posición de lectura.

ELENA.—*(Entrando)* ¿Quién era? ¿El cartero?

JULIA.—No. . . un hombre que dice que es un antiguo amigo de papá. Lo dijo de un modo raro. Dijo también que volvería. Me miró de una manera tan desagradable. . .

ELENA.—*(Con intención)* ¿Dices que no pasó el cartero?

JULIA.—Pasó. . . pero no dejó nada.

ELENA.—¿Esperabas carta?

JULIA.—No.

ELENA.—Haces mal en mentirme. Sé que has escrito a ese muchacho otra vez. ¿Por qué lo hiciste? *(Julia no responde)* Las mujeres no deben hacer esas cosas; no haces sino buscarte una tortura más, esperando, esperando todo el tiempo.

JULIA.—Algo he de hacer aquí. Mamá, no me digas nada. *(Se estremece)*

ELENA.—¿Qué tienes?

JULIA.—Estoy pensando en ese hombre que vino a buscar a papá... en cómo me miró. *(Transición muy brusca. Arroja el libro)* ¿Vamos a estar así toda la vida? Yo ya no puedo más.

ELENA.—*(Moviendo la cabeza)* No es esto lo que te atormenta, Julia, sino el recuerdo de México. Si olvidaras a ese muchacho, te resignarías mejor a esta vida.

JULIA.—Todo parece imposible. ¿Y mi padre, qué hace? Irse por la mañana, volver por la noche, sin resolver nada nunca, sin hacer caso de nosotros. Hace semanas que no puede hablársele sin que se irrite. Me pregunto si nos ha querido alguna vez.

ELENA.—Le apena que sus asuntos no vayan mejor, más rápidamente. Pero tú no debes alimentar esas ideas que no son limpias, Julia.

JULIA.—Miguel también está desesperado, con razón.

ELENA.—Son ustedes tan impacientes... ¿Dónde está ahora tu hermano?

JULIA.—Se fue al pueblo, a buscar trabajo. Dice que se irá. Hace bien. Yo debía...

ELENA.—¿Qué puede una hacer con hijos como ustedes, tan apasionados, tan incomprensivos? Te impacienta esperar un cambio en la suerte de tu padre, pero no te impacienta esperar que te escriba un hombre que no te quiere.

JULIA.—Me haces daño, mamá.

ELENA.—La verdad es la que te hace daño, hija. *(Julia se levanta y se dirige a la izquierda)* Hay que planchar la ropa. ¿Quieres traerla? Está tendida en el solar.

Julia, sin responder, pasa al comedor y de allí a la cocina para salir al solar. Elena la sigue con la vista, moviendo la cabeza, y pasa a la cocina.

La escena queda desierta un momento. Por la derecha entra César con el saco al brazo, los zapatos polvosos. Tira el saco en una silla y se tiende en el sofá de tule enjugándose la frente. Acostado, lía, metódicamente como siempre, un cigarro de hoja. Lo enciende. Fuma. Elena entra en el comedor, percibe el olor del cigarro y pasa a la sala.

ELENA.—¿Por qué no me avisaste que habías llegado?

CESAR.—Dame un vaso de agua con mucho hielo.

Elena pasa al comedor y vuelve un momento después con el agua. César se incorpora y bebe lentamente.

ELENA.—¿Arreglaste algo?

CESAR.—*(Tendiéndole el vaso vacío)* ¿No crees que te lo habría dicho si así fuera? Pero no puedes dejar de preguntarlo, de molestarme, de... *(Calla bruscamente)*

ELENA.—*(Dando vueltas al vaso en sus manos)* Julia tiene razón... hace ya semanas que parece que nos odias, César.

CESAR.—Hace semanas que parece que me vigilan todos... tú, Julia, Miguel. Espían mis menores gestos, quieren leer en mi cara no sé qué cosas.

ELENA.—¡César!

JULIA.—*(Entra en el comedor llevando un lío de ropa)* Aquí está la ropa, mamá.

ELENA.—*(Va hacia el comedor para dejar el vaso)* Déjala aquí. O mejor no. Hay que recoserla antes de plancharla. ¿Quieres hacerlo en tu cuarto?

Julia pasa, sin contestar, a la sala, y cruza hacia la izquierda sin hablar a su padre.

CESAR.—*(Mirándola)* ¿Sigue molestándote mucho el calor, Julia?

JULIA.—*(Sin volverse)* Menos que otras cosas... menos que yo misma, papá. *(Sale)*

CESAR.—¿Ves cómo me responde? ¿Qué le has dicho tú, que cada vez siento a mis hijos más contra mí?

ELENA.—*(Con lentitud y firmeza)* Te engañas, César, no te atreves a ver la verdad. Crees que somos nosotros, que soy yo sobre todo la que incomoda y te persigue. No es eso. Eres tú mismo.

CESAR.—¿Qué quieres decir?

ELENA.—Lo sabes muy bien.

CESAR.—*(Sentándose bruscamente)* Acabemos... habla claro.

ELENA.—No podría yo hablar más claro que tu conciencia, César. Estás así desde que se fue Bolton... desde que cerraste el trato con él.

CESAR.—*(Levantándose furioso)* ¿Ves cómo me espías? Me espiaste aquella noche también.

ELENA.—Oí por casualidad, y te reproché que mintieras.

CESAR.—Yo no mentí. Puesto que oíste, debes saberlo. Yo no afirmé nada, y le vendí solamente lo que él quería comprar.

ELENA.—La forma en que hablaste era más segura que una afirmación. No sé cómo pudiste hacerlo, César, ni, menos, cómo te extraña el que te persiga esa mentira.

CESAR.—Supón que fuera la verdad.

ELENA.—No lo era.

CESAR.—¿Por qué no? Tú me conociste después de ese tiempo.

ELENA.—César, ¿dices esto para llegar a creerlo?

CESAR.—Te equivocas.

ELENA.—Puedes engañarte a ti mismo si quieres. No a mí.

CESAR.—Tienes razón. Y sin embargo, ¿por qué no podría ser así? Hasta el mismo nombre... nacimos en el mismo pueblo, aquí; teníamos más o menos la misma edad.

ELENA.—Pero no el mismo destino. Eso no te pertenece.

CESAR.—Bolton lo creyó todo... era precisamente lo que él quería creer.

ELENA.—¿Crees que hiciste menos mal por eso? No.

CESAR.—¿Por qué no lo gritaste entonces? ¿Por qué no me desenmascaraste frente a Bolton, frente a mis hijos?

ELENA.—Sin quererlo, yo completé tu mentira.

CESAR.—¿Por qué?

ELENA.—Tendrías que ser mujer para comprenderlo. No quiero juzgarte, César... pero esto no debe seguir adelante.

CESAR.—¿Adelante?

ELENA.—Vi el paquete que trajiste la otra noche... el uniforme, el sombrero tejano.

CESAR.—¡Entonces me espías!

ELENA.—Sí. . . pero no quiero que te engañes más. Acabarías por creerte un héroe. Y quiero pedirte una cosa: ¿qué vas a hacer con ese dinero?

CESAR.—No tengo que darte cuentas.

ELENA.—Pero si no te las pido. Ni siquiera cuando era joven habría sabido qué hacer con el dinero. Lo que quiero es que hagas algo por tus hijos. . . están desorientados, desesperados.

CESAR.—Tienes razón, tienes razón. He pensado en ellos, en ti, todo el tiempo. He querido hacer cosas. He ido a Saltillo, a Monterrey, a buscar una casa, a ver muebles. Y no he podido comprar nada. . . no sé por qué. . . *(Baja la cabeza)* Fuera de ese uniforme. . . que me hacía sentirme tan seguro de ser un general.

ELENA.—¿No has pensado que podría descubrirse tu mentira?

CESAR.—No se descubrirá. Bolton me dio su palabra. Nadie sabrá nada.

ELENA.—Tú, todo el tiempo. ¿Por qué no nos vamos de aquí? Los muchachos necesitan un cambio. . . un verdadero cambio. Vámonos, César. . . sé que tienes dinero suficiente. . . no me importa cuánto. Ahora que lo tienes. . . es el guardarlo lo que te pone así.

CESAR.—¿Tengo derecho a usarlo? Eso es lo que me ha torturado. ¿Derecho a usarlo en mis hijos sin. . .?

ELENA.—Tienes el dinero. Yo no podría verte tirarlo, ahora que lo tienes; no podría: me dan tanta inquietud, tanta inseguridad mis hijos.

CESAR.—¡Tirarlo! Lo he pensado; no pude. Y. . . me da vergüenza confesártelo. . . pero he llegado a pensar en irme solo.

ELENA.—Lo sabía. Cada noche que te retrasabas pensaba yo: ahora ya no volverá.

CESAR.—No fue por falta de cariño... te lo aseguro.

ELENA.—También lo sé... eran remordimientos, César.

CESAR.—*(Transición)* ¿Remordimientos por qué? Otros hombres han hecho otras cosas, cometido crímenes... sobre todo en México. No robé a ningún pobre, no he arruinado a nadie.

ELENA.—Tú sabes que si se descubriera esto, por lo menos Bolton, que es joven, perdería su prestigio, su carrera... y nosotros, que no tenemos nada, la tranquilidad. Vámonos, César.

CESAR.—Bolton mismo, si algo averiguara, tendría que callar para no comprometerse. ¿Y adónde podríamos ir? ¿A México?

ELENA.—Siento que tú no estarías tranquilo allí.

CESAR.—¿Monterrey? ¿Saltillo? ¿Tampico?

ELENA.—¿Podrías vivir en paz en la República, César? Yo tendría siempre miedo por ti.

CESAR.—No te entiendo.

ELENA.—Tú lo sabes... sabes que tendrías siempre delante el fantasma de...

CESAR.—*(Rebelándose)* Acabarás por hacerme creer que soy un criminal. *(Pausa)* ¿Por qué no ir a los Estados Unidos? ¿A California?

ELENA.—Creo que sería lo mejor, César.

CESAR.—Me cuesta el salir de México.

ELENA.—Nada te detiene aquí más que tus ideas, tus sueños, compréndelo.

CESAR.—¡Mis sueños! Siempre he querido la realidad: es lo que tú no puedes entender. Una realidad... *(Se encoge de hombros)* Mucho tiempo he tenido deseos de ir a California; pero no podría ser para toda la vida. *(Reacción vigorosa)* Has acabado por hacerme sentir miedo; no nos iremos, no corro peligro alguno.

ELENA.—¿Has sentido miedo entonces? También sentiste remordimientos. ¿No te das cuenta de que esas cosas están en ti?

CESAR.—Quien te oyera pensaría en algo sórdido y horrible, en un crimen. No, no he cometido ningún crimen. Lo que tú llamas remordimiento no era más que desorientación. Si no he usado el dinero es porque nunca había tenido tanto junto... en mi vida...: he perdido la capacidad de gastar, como ocurre con nuestra clase; otros pierden la capacidad de comer, en fuerza de privaciones.

ELENA.—Sí... eso parece razonable... parece cierto, César.

CESAR.—¿Entonces?

ELENA.—Parece, porque lo generalizas. Pero no es cierto, César. Puede ser que no hayas cometido un crimen al tomar la personalidad de un muerto para...

CESAR.—¡Basta!

ELENA.—Puede ser que no hayas cometido siquiera una falta. ¿Por qué sientes y obras como si hubieras cometido una falta y un crimen?

CESAR.—¡No es verdad!

ELENA.—Me acusas de espiarte, de odiarte... huyes de nosotros diariamente... y en el fondo, eres tú el que te espías, despierto a todas horas; eres tú el que empiezas a odiarnos... es como cuando alguien se vuelve loco, ¿no ves?

CESAR.—¿Y qué quieres que haga entonces? (Pausa) O... ¿reclamas tu parte?

ELENA.—Yo soy de esas gentes que pierden la capacidad de comer: la he perdido a tu lado, en nuestra vida. No me quejo. Pero Miguel dijo que se quedaba porque tú le habías prometido no hacer nada deshonesto.

CESAR.—¿Y lo he hecho acaso?

ELENA.—Tú lo sabes mejor que yo; pero tus hijos se secan de no hacer nada, César. Somos viejos ya y necesitamos el dinero menos que ellos. Puedes ayudarles a establecerse, fuera de aquí. Podrías darles todo, para librarte de esas ideas... ¿Qué nos importa ser pobres unos cuantos años más, a ti y a mí?

CESAR.—*(Muy torturado)* ¿No tenemos nosotros derecho a un desquite?

ELENA.—Si tú quieres. Pero no los sacrifiquemos a ellos. Quizá no quieres irte de México porque pensaste que la gente podía enterarse de que tenemos dinero... por vanidad. Si nos vamos, César, seremos felices. Pondremos una tienda o un restorán mexicano, cualquier cosa. Miguel cree en ti todavía, a pesar de todo.

CESAR.—¡Déjame! ¿Por qué quieres obligarme a decirlo todo ahora? Después habrá tiempo... habrá tiempo. *(Pausa)* Me conoces demasiado bien.

ELENA.—¡Después! Puede ser tarde. No me guardes rencor, César. *(Le toma la mano)* Hemos estado siempre como desnudos, cubriéndonos mutuamente. En el fondo eres recto... ¿por qué te avergüenzas de serlo? ¿Por qué quieres ser otra cosa... ahora?

CESAR.—Todo el mundo aquí vive de apariencias, de gestos. Yo he dicho que soy el otro César Rubio... ¿a quién perjudica eso? Mira a los que llevan águila de general sin haber peleado en una batalla; a los que se dicen amigos del pueblo y lo roban; a los demagogos que agitan a los obreros y los llaman camaradas sin haber trabajado en su vida con sus manos; a los profesores que no saben enseñar, a los estudiantes que no estudian. Mira a Navarro, el precandidato... yo sé

que no es más que un bandido, y de eso sí tengo pruebas, y lo tienen por un héroe, un gran hombre nacional.
Y ellos sí hacen daño y viven de su mentira. Yo soy
mejor que muchos de ellos. ¿Por qué no. . .?

ELENA.—Tú lo sabes. . . también eso está en ti. Tú
no, porque no, porque no.

CESAR.—¡Estúpida! ¡Déjame ya! ¡Déjame!

ELENA.—Estás ciego, César.

*Entra Miguel con el saco al brazo y un periódico
doblado en la mano. Parece trastornado. César y Elena
callan, pero sus voces parece que siguieran sonando
en la atmósfera. César pasea de un extremo a otro.
Miguel se sienta en el sofá, cansado, mirándolos lentamente.*

ELENA.—¿Dónde estuviste, Miguel?

*Miguel no contesta. Mira con intensidad a César.
La luz se hace más opaca, como si se cubriera de
polvo.*

CESAR.—*(Volviéndose como picado por un agui-
jón)* ¿Por qué me miras así, Miguel?

MIGUEL.—*(Lentamente)* He estado pensando que
tus hijos sabemos muy poco de ti, padre.

CESAR.—¿De mí? Nada. Nunca les ha importado
saber nada de mí.

MIGUEL.—Pero me pregunto también si mamá
sabe más de ti que nosotros, si nos ha ocultado algo.

ELENA.—Miguel, ¿qué te pasa? Es como si me acu-
saras de. . .

MIGUEL.—Nada. Es curioso, sin embargo, que para
saber quién es mi padre tenga yo que esperar a que
lo digan los periódicos.

CESAR.—¿Qué quieres decir?

MIGUEL.—*(Desdoblando el periódico)* Esto. Aquí
hablan de ti.

CESAR.—*(Yendo hacia él)* Dame.

MIGUEL.—*(Con una energía concentrada, rítmica casi)* No. Voy a leerte. Eso por lo menos lo aprendí.

César y Elena cambian una mirada rápida.

ELENA.—*(A media voz)* ¡César!

MIGUEL.—*(Leyendo con lentitud, martilleando un poco las palabras)* "Reaparece un gran héroe mexicano. La verdad es más extraña que la ficción. Bajo este título, tomado de Shakespeare, el profesor Oliver Bolton, de la Universidad de Harvard, publica en el *New York Times* una serie de artículos sobre la revolución mexicana".

CESAR.—Sigue.

Elena se acerca a él y toma su brazo, que va apretando gradualmente durante la lectura.

MIGUEL.—*(Después de una mirada a su padre; leyendo con voz blanca)* "El primero relata la misteriosa desaparición, en 1914, del extraordinario general César Rubio, verdadero precursor de la revolución, según parece. Bolton describe la vertiginosa carrera de Rubio, su influencia sobre los destinos de México y sus hombres, hasta caer en una emboscada tendida por un subordinado suyo, comprado por sus enemigos. El artículo reproduce documentos aparentemente fidedignos, fruto de una honesta investigación".

ELENA.—Había prometido, ¿no?

CESAR.—Calla.

MIGUEL.—*(Los mira. Sonríe de un modo extraño y sigue leyendo)* "Estas revelaciones agitarán los círculos políticos y seguramente alterarán los textos de la historia mexicana contemporánea. Pero el golpe teatral está en el segundo artículo, donde Bolton refiere su reciente descubrimiento en México. Según él, César Rubio, desilusionado ante el triunfo de los demagogos

y los falsos revolucionarios, oscuro, olvidado, vive
—contra toda creencia—, dedicado en humilde cátedra universitaria —gana cuatro pesos diarios (ochenta
centavos de dólar) —a enseñar la historia de la revolución para rescatarla ante las nuevas generaciones.
*(Miguel levanta la vista hacia César, que se vuelve a
otra parte. Se oyen los pasos de Julia en la escalera)*
Al estrechar la mano de este héroe —dice Bolton—
prometí callar su identidad actual. Pero no resisto a la
belleza de la verdad, al deseo de hacer justicia al hombre cuya conducta no tiene paralelo en la historia".

JULIA.—Mamá.

MIGUEL.—*(Volviéndose a ella)* Escucha. *(Lee)*
"Siendo digno César Rubio de un homenaje nacional,
puede además ser aún útil a su país, que necesita
como nunca hombres desinteresados. Cincinato se
retiró a labrar la tierra convirtiéndose en un rico ha-
cendado. César escribió sus *Comentarios;* pero ni estos
héroes ni otros pueden equipararse a César Rubio, el
gran caudillo de ayer, el humilde profesor de hoy. La
verdad es siempre más extraña que la ficción". *(Pausa)*

JULIA.—¿Qué quiere decir. . .?

MIGUEL.—Hay algo más. *(Lee)* "El profesor Bolton
declaró a los corresponsales extranjeros que encontró
a César Rubio en una humilde casa de madera aislada
cerca del pueblo de Allende, próximo a la carretera
central".

ELENA.—¡Oh, César!

JULIA.—Papá, no entiendo. . . ¿esto se refiere a...?

CESAR.—¿Es todo?

MIGUEL.—No. . . hay más. Pero dile a Julia que se
refiere a ti, padre.

CESAR.—Acaba.

MIGUEL.—"La Secretaría de Guerra y el Partido

Revolucionario investigan ya con gran reserva este caso por orden del Primer Magistrado de la Nación. A ser cierto, este acontecimiento revolucionará la política mexicana". Ahora sí es todo.

ELENA.—¿Qué vas a hacer ahora, César?

CESAR.—Tenías razón. Debemos irnos.

MIGUEL.—Pero yo quiero saber. ¿Es cierto esto? Y si es cierto, ¿por qué lo has callado tanto tiempo, padre?

JULIA.—*(Apartando los ojos del periódico)* Tú, papá... ¡Parece tan extraño!

MIGUEL.—Dímelo.

ELENA.—Interrogas a tu padre, Miguel.

MIGUEL.—¿Pero no comprendes, mamá? Tengo derecho a saber.

JULIA.—*(Tirando el periódico y corriendo a abrazar a César)* ¿Y te has sacrificado todo este tiempo, papá? Yo no sabía... ¡Oh, me haces tan feliz! Me siento tan mala por no haber...

César la abraza de modo que le impide ver su rostro demudado.

MIGUEL.—¿Vas a decírmelo?

JULIA.—*(Desprendiéndose, vehemente)* ¿Acaso no crees que sea cierto? Deberíamos sentir vergüenza de cómo nos hemos portado con él, *(sonriendo)* con el señor general César Rubio.

MIGUEL.—Papá, ¿no me lo dirás?

CESAR.—Y bien...

ELENA.—Debemos irnos inmediatamente, César, ya que ha sucedido lo que queríamos evitar. Miguel, Julia, empaquen pronto. Nos vamos ahora mismo a los Estados Unidos. El tren pasará a las siete por el pueblo.

CESAR.—*(Decidido)* Sí, es necesario.

Julia se dirige a la izquierda.

MIGUEL.—Pero esto parece una fuga. ¿Por qué? ¿Y por qué el silencio? No es más que una palabra...

JULIA.—*(Volviéndose)* Ven, Miguel, vamos.

CESAR.—*(Con esfuerzo)* Se te explicará todo después. Ahora debemos empacar y marcharnos.

Miguel le dirige una última mirada y cruza hacia la izquierda. Cuando se reúne con Julia cerca de la puerta, se oye un toquido por la derecha. César y Elena se miran con desamparo.

CESAR.—*(La voz blanca)* ¿Quién?

Cinco hombres penetran por la derecha en el orden siguiente: primero, Epigmenio Guzmán, presidente municipal de Allende; en seguida, el licenciado Estrella, delegado del Partido en la región y gran orador; en seguida, Salinas, Garza y Treviño, diputados locales. Instintivamente Elena se prende al brazo de César y lo hace retroceder unos pasos. Julia se sitúa un poco más atrás, al otro lado de César, y Miguel al lado de su madre. Este cuadro de familia desconcierta un poco a los recién llegados.

GUZMAN.—*(Limpiándose la garganta)* ¿Es usted el que dice ser el general César Rubio?

CESAR.—*(Después de una rápida mirada a su familia, se adelanta)* Ese es mi nombre.

SALINAS.—*(Adelantando un paso)* Pero ¿es usted el general?

GUZMAN.—Permítame, compañero Salinas. Yo voy a tratar esto.

ESTRELLA.—Perdón. Creo que el indicado para tratarlo soy yo, señores. *(Blande un telegrama)* Además, tengo instrucciones especiales.

Estrella es alto, delgado, tiene esas facciones burdas con pretensión de raza. Usa grandes patillas y muchos anillos. Tiene la piel manchada por esas con-

fusas manifestaciones cutáneas que atestiguan a la vez el exceso sexual y el exceso de abstención sexual. *Los otros son norteños típicos, delgados Salinas y Treviño, gordos Garza y Guzmán. Todos sanos, buenos bebedores de cerveza, campechanos, claros y decididos.*

TREVIÑO.—Oye, Epigmenio. . .

GARZA.—Mire, compañero Estrella. . .

Simultáneamente.

GUZMAN.—Me parece, señores, que esto me toca a mí, y ya.

CESAR.—*(Que ha estado mirándolos)* Cualquiera que sea su asunto, señores, háganme favor de sentarse. *(Con un ademán hacia el grupo de sus familiares)* Mi esposa y mis hijos.

Los visitantes hacen un saludo silencioso, menos Estrella, que se dirige con una sonrisa a estrechar la mano de Elena, Julia y Miguel, murmurando saludos banales. Es un capitalino de la baja clase media. Entretanto, Epigmenio Guzmán ha estado observando intensamente a César.

GUZMAN.—Nuestro asunto es enteramente privado. Sería preferible que. . . *(Mira a la familia)*

CESAR.—Elena. . .

Elena toma de la mano a Julia e inicia el mutis. Miguel permanece mirando a su padre y a los visitantes alternativamente.

ESTRELLA.—De ninguna manera. El asunto que nos trae exige el secreto más absoluto para todos, menos para los familiares del señor Rubio.

Elena y Julia se han vuelto.

SALINAS.—No necesitamos la presencia de las señoras por ahora.

TREVIÑO.—Esto es cosa de hombres, compañero.

71

CESAR.—*(Irónico, inquieto en realidad por la tensa atención de Miguel, por la angustia de Elena)* Si es por mí, señores, no se preocupen. No tengo secretos para mi familia.

GARZA.—Lo mejor es aclarar las cosas de una vez. Usted. . .

ESTRELLA.—Compañero diputado, me permito recordarle que tengo la representación del partido para tratar este asunto. Estimo que la señora y la señorita, que representan a la familia mexicana, deben quedarse.

CESAR.—Tengan la bondad de sentarse, señores. *(Todos se instalan discutiendo a la vez, menos Guzmán, que sigue abstraído mirando a César)* ¿Usted? *(A Guzmán)*

GUZMAN.—*(Sobresaltado)* Gracias.

Estrella y Salinas quedan sentados en el sofá de tule; Garza y Treviño en los sillones de tule, a los lados. Guzmán, al ser interpelado por César, va a sentarse al sofá, de modo que Estrella queda al centro. Elena y Julia se han sentado en el otro extremo, mirando al grupo. Miguel, para ver la cara de su padre, que ha quedado de espaldas al público, se sitúa recargado contra los arcos. César, como un acusado, queda de frente al grupo de políticos en primer término derecha. Los diputados miran a Guzmán y a Estrella.

SALINAS.—¿Qué pasó? ¿Quién habla por fin?

TREVIÑO.—Eso.

ESTRELLA.—*(Adelantándose a Guzmán)* Señores. . . *(Se limpia la garganta)* El señor Presidente de la República y el Partido Revolucionario de la Nación me han dado instrucciones para que investigue las revelaciones del profesor Bolton y establezca la identidad de su informante. ¿Qué tiene usted que decir, señor Rubio?

Debo pedirle que no se equivoque sobre nuestras intenciones, que son cordiales.

CESAR.—*(Pausado, sintiendo como una quemadura la mirada fija de Miguel)* Todos ustedes son muy jóvenes, señores... pertenecen a la revolución de hoy. No puedo esperar, por lo tanto, que me reconozcan. He dicho ya que soy César Rubio. ¿Es todo lo que desean saber?

SALINAS.—*(A Estrella)* Mi padre conoció al general César Rubio... pero murió.

TREVIÑO.—También mi tío... sirvió a sus órdenes; me hablaba de él. Murió.

GARZA.—Sin embargo, quedan por ahí viejos que podrían reconocerlo.

ESTRELLA.—Esto no nos lleva a ninguna parte, compañeros. *(A César)* Mi comisión consiste en averiguar si es usted el general César Rubio, y si tiene papeles con qué probarlo.

CESAR.—*(Alerta, consciente de la silenciosa observación de Guzmán)* Si han leído ustedes los periódicos —y me figuro que sí— sabrán que entregué esos documentos al profesor Bolton.

ESTRELLA.—Mire, mi general... hm... señor Rubio, este asunto tiene una gran importancia. Es necesario que hable usted ya.

CESAR.—*(Casi acorralado)* Nunca pensé en resucitar el pasado, señores.

MIGUEL.—*(Avanza dos pasos quedando en línea diagonal frente a su padre)* Es preciso que hables, papá.

CESAR.—*(Tratando de vencer su abatimiento)* ¿Para qué?

ESTRELLA.—Usted comprende que esta revelación está destinada a tener un peso singular sobre los destinos políticos de México. Todo lo que le pido, en nombre del señor Presidente, en nombre del Partido y en nombre de la patria, es un documento. Le repito que nuestras intenciones son cordiales. Una prueba.

CESAR.—*(Alzando la cabeza)* Hay cosas que no necesitan de pruebas, señor. ¿Qué objeto persiguen ustedes al investigar mi vida? ¿Por qué no me dejan en mi retiro?

ESTRELLA.—Porque si es usted el general César Rubio, no se pertenece, pertenece a la revolución, a una patria que ha sido siempre amorosa madre de sus héroes.

SALINAS.—Un momento. Antes de decir discursos, compañero Estrella, queremos que se identifique.

GARZA.—Que se identifique. . .

TREVIÑO.—Eso es todo lo que pedimos.

MIGUEL.—Papá. *(Da un paso más al frente)*

Simultáneamente.

CESAR.—Es curioso que quienes necesitan de pruebas materiales sean precisamente mis paisanos, los diputados locales. . . *(mirada a Miguel)* . . .y mi hijo. *(Miguel retrocede un paso, bajando la cabeza)* ¿Por qué no me dejan tan muerto como estaba?

ESTRELLA.—*(Decidido)* Comprendo muy bien su actitud, mi general, y yo que represento al Partido Revolucionario de la Nación no necesito de esas pruebas. Estoy seguro de que tampoco el señor Presidente las necesita, y bastará. . .

SALINAS.—*(Levantándose)* Nosotros sí.

ESTRELLA.—Permítame. Es el pueblo, son los periodistas, que no tardarán en llegar aquí *(César y Elena cambian una mirada)* son los burócratas de la Secretaría de Guerra, que tampoco tardarán. ¿Por qué no nos da usted esa pequeña prueba a nosotros y nos tiene confianza, para que nosotros respondamos de usted ante el pueblo?

CESAR.—El pueblo sería el único que no necesitara pruebas. Tiene su instinto y le basta. Me rehuso a identificarme ante ustedes.

MIGUEL.—Pero, ¿por qué, papá?

GARZA.—No es necesario que se ofenda usted, general. Venimos en son de paz. Si pedimos pruebas es por su propia conveniencia.

SALINAS.—Lo más práctico es traer a algunos viejos del pueblo. Yo voy en el carro.

TREVIÑO.—Pedimos una prueba como acto de confianza.

ESTRELLA.—Yo encuentro que el general tiene razón. *(A César)* Ya ve usted que yo no le he apeado el título que le pertenece. *(A los demás)* Pero si él supiera para qué hemos venido aquí, comprendería nuestra insistencia.

CESAR.—*(Mirando alternativamente a Miguel y a Elena)* ¿Con qué objeto han venido ustedes, pues?

ESTRELLA.—Allí está la cosa, mi general. Démonos una prueba de mutua confianza.

CESAR.—*(Sintiéndose fortalecido)* Empiecen ustedes, entonces.

ESTRELLA.—*(Sonriendo)* Nosotros estamos en mayoría, mi general: en esta época el triunfo es de las mayorías.

SALINAS.—La cosa es muy sencilla. Si él se niega a identificarse, ¿a nosotros qué? Sigue muerto para nosotros y ya.

ESTRELLA.—Mi misión y mi interés son más amplios que los de ustedes, compañeros.

TREVIÑO.—Allá usted. . . y allá las autoridades.

Nosotros no tenemos tiempo que perder. Vámonos, muchachos. *(Se levantan)*

GARZA.—*(Levantándose)* Espérate, hombre.

SALINAS.—*(Levantándose)* Yo siempre les dije que era pura ilusión todo.

ESTRELLA.—*(Levantándose)* Las autoridades militares, en efecto, mi general, podrán presionarlo a usted. ¿Por qué insistir en esta actitud? ¿Por qué no nombra usted a alguien que lo conozca, que lo identifique? Es en interés de usted... y de la nación... y de su Estado. *(Se vuelve hacia la familia)* Pero estamos perdiendo el tiempo. Con todo respeto hacia su actitud, mi general... estoy seguro de que usted tiene razones poderosas para obrar así... la señora podría sin duda...

Elena se levanta.

CESAR.—*(Con angustiosa energía)* No meta usted a mi mujer en estas cosas.

ELENA.—Déjame, César. Es necesario. Yo atestiguaré.

CESAR.—Mi esposa nada sabe de esto. *(A Elena)* Cállate.

GUZMAN.—*(Hablando por primera vez desde que empezó esto)* Un momento. *(Todos se vuelven hacia él, que continúa sentado)* Dicen que César Rubio era un gran fisonomista... yo no lo soy; pero recuerdo sus facciones. Era yo muy joven y no lo vi más que una vez; pero para mí, es él. Lo he estado observando todo el tiempo. *(Sensación)* Tal vez se acuerde de mi padre, que sirvió a sus órdenes. *(Saca un grueso reloj de tipo ferrocarrilero, cuya tapa posterior alza; se levanta él mismo, y tiende el reloj a César Rubio)* ¿Lo conoce usted?

CESAR.—*(Tomando el reloj, pasa al centro de la*

escena mientras los demás lo rodean con curiosidad. Duda antes de mirar el retrato, se decide, lo mira y sonríe. Alza la cabeza y devuelve el reloj a Guzmán. Se mete las manos en los bolsillos y se sienta en el sofá, diciendo:) Gracias.

GUZMAN.—¿Lo conoce usted? *(Se acerca)*

CESAR.—*(Lentamente)* Es Isidro Guzmán; lo mataron los huertistas el 13, en Saltillo.

GUZMAN.—*(A los otros)* ¿Ven cómo es él?

ESTRELLA.—¿Es usted, entonces, el general César Rubio?

SALINAS.—Eso no es prueba.

GUZMAN.—¿Cómo iba a conocer a mi viejo, entonces?

TREVIÑO.—No, no; esto no quiere decir nada.

ESTRELLA.—Un momento, señores. Mi general. . . hm. . . señor Rubio: ¿dónde nació usted? Espero que no tenga inconveniente en decirme eso.

CESAR.—En esta misma población, cuando no era más que un principio de aldea.

ESTRELLA.—¿En qué calle?

CESAR.—En la única que tenía el pueblo entonces. . . la Calle Real.

ESTRELLA.—¿En qué año?

CESAR.—Hizo medio siglo precisamente en julio pasado.

ESTRELLA.—*(Sacando un telegrama del bolsillo y pasando la vista sobre él)* Gracias, mi general. Ustedes dirán lo que gusten, compañeros; a mí me basta con esto. Los datos coinciden.

GUZMAN.—Y a mí también. Conoció al viejo.

CESAR.—*(Sonriendo)* Le decían la Gallareta.

GUZMAN.—*(Con entusiasmo)* Es verdad.

CESAR.—*(Remachando)* Era valiente.

GUZMAN.—*(Más entusiasmado)* ¡Ya lo creo! Ese era el viejo... murió peleando. Valiente de la escuela de usted, mi general.

CESAR.—¿De cuál de las dos? *(Risas)* No... la Gallareta murió por salvar a César Rubio. Cuando los federales dispararon sobre César, que iba adelante a caballo, el coronel Guzmán hizo reparar su montura y se atravesó. Lo mataron, pero se salvó César Rubio.

TREVIÑO.—¿Por qué habla usted de sí mismo como si se tratara de otro?

CESAR.—*(Cada vez más dueño de sí)* Porque quizás así es. Han pasado muchos años... los hombres se transforman. Luego, la costumbre de la cátedra... *(Se levanta)* Ahora, ¿están ustedes satisfechos, señores?

SALINAS.—Pues... no del todo.

GARZA.—Algo nos falta por ver.

CESAR.—¿Y qué es?

SALINAS.—*(Mirando a los otros)* Pues papeles, pruebas, pues.

CESAR.—*(Después de una pausa)* Estoy seguro de que ahora, el profesor Bolton publicará los que le entregué, que eran todos los que tenía. Entonces quedará satisfecha su curiosidad por entero. Pero, hasta entonces, sigan considerándome muerto; déjenme acabar mis días en paz. Quería acabar en mi pueblo, pero puedo irme a otra parte.

Sensación y protestas entre los políticos. Aun Salinas y Garza protestan. La familia toda se ha acercado a César. Estrella acaba por hacerse oír, después de un momento de agitar los brazos y abrir una gran boca sin conseguirlo.

ESTRELLA.—Mi general, si he venido en representación del Partido Revolucionario de la Nación y con una comisión confidencial del señor Presidente, no

78

ha sido por una mera curiosidad, ni únicamente para molestar a usted pidiéndole sus papeles de identificación.

GUZMAN.—Ni yo tampoco. Yo vine como presidente municipal de Allende a discutir otras cuestiones que importan al Estado. Lo mismo los señores diputados.

GARZA.—Es verdad.

CESAR.—*(Mirando a Elena)* ¿Qué desean ustedes, entonces?

ELENA.—*(Adelantándose hacia el grupo)* Yo sé lo que desean... una cosa política. Diles que no, César.

ESTRELLA.—El admirable instinto femenino. Tiene usted una esposa muy inteligente, mi general.

SALINAS.—Treviño.

TREVIÑO.—¿Qué hubo?

Salinas toma a Treviño por el brazo y lo lleva hacia la puerta, donde hablan ostensiblemente en secreto. Guzmán los sigue con la vista, moviendo la cabeza.

GUZMAN.—*(Mientras mira hacia Salinas y Treviño)* La señora le ha dado al clavo, en efecto.

SALINAS.—*(En voz baja, que no debe ser oída del público, y muy lentamente, mientras habla Guzmán)* Vete volando al pueblo en mi carro. (Treviño mueve la cabeza afirmativamente)*

Es indispensable que los actores pronuncien estas palabras inaudibles para el público. Decirlas efectivamente sugerirá una acción planeada, y evitará una laguna de progresión del acto, a la vez que ayudará a los actores a mantenerse en carácter mientras estén en la escena.

CESAR.—Gracias. ¿Es eso, entonces, lo que buscan ustedes?

ESTRELLA.—Buscamos algo más que lo meramente político inmediato, mi general. La reaparición de usted es providen... *(se corrige y se detiene buscando la palabra)* próvida y revolucionaria... *(Entretanto, al mismo tiempo:)*

SALINAS.—...y tráete a Emeterio Rocha...

ESTRELLA.—...y extraordinariamente oportuna. Este Estado, como sin duda lo sabe usted, se prepara a llevar a cabo la elección de un nuevo gobernador.

SALINAS.—*(Entretanto)* El conoció a César Rubio. ¿Entiendes?

TREVIÑO.—*(Mismo juego)* Seguro. Ya veo lo que quieres.

CESAR.—*(A Estrella)* Conozco esa circunstancia... pero nada tiene que ver conmigo.

SALINAS.—*(Mismo juego, dando una palmada a Treviño en el hombro)* ¿De acuerdo? Nada más por las dudas. *(Treviño afirma con la cabeza)* Váyase, pues.

Treviño sale rápidamente después de dirigir una mirada circular a la escena.

ESTRELLA.—Se equivoca usted, mi general. Al reaparecer, usted se convierte automáticamente en el candidato ideal para el Gobierno de su Estado natal.

ELENA.—¡No, César!

JULIA.—¿Por qué no, mamá? Papá lo merece. *(Lo mira con pasión)*

CESAR.—¿Por qué no, en efecto? *(Salinas se reune con el grupo sonriendo)* Voy a decírselo, señor... señor...

ESTRELLA.—Rafael Estrella, mi general.

CESAR.—Voy a decírselo, señor Estrella. *(Involuntariamente en papel, viviendo ya el mito de César Rubio)* Me alejé para siempre de la política. Prefiero continuar mi vida humilde y oscura de hasta ahora.

ESTRELLA.—No tiene usted derecho, mi general,

permítame, a privar a la patria de su valiosa colaboración.

GUZMAN.—El Estado está en peligro de caer en el continuismo. . . usted puede salvarlo.

CESAR.—No. César Rubio sirvió para empezar la revolución. Estoy viejo. Ahora toca a otros continuarla. ¿Habla usted oficialmente, compañero Estrella?

ESTRELLA.—Cumplo, al hacer a usted este ofrecimiento, con la comisión que me fue confiada en México por el Partido Revolucionario de la Nación y por el señor Presidente.

GUZMAN.—Yo conozco el sentir del pueblo aquí, mi general. Todos sabemos que Navarro continuaría el mangoneo del gobernador actual, de acuerdo con él, y no queremos eso. Navarro tiene malos antecedentes.

ESTRELLA.—Conocen la historia de usted, y eso basta. El Partido, como el instituto político encargado de velar por la inviolabilidad de los comicios, ve en la reaparición de usted una oportunidad para que surja en el Estado una noble competencia política por la gubernatura. Sin desconocer las cualidades del precandidato general Navarro, prefiere que el pueblo elija entre dos o más candidatos, para mayor esplendor del ejercicio democrático.

GUZMAN.—La verdad es que tendría usted todos los votos, mi general.

GARZA.—No puede usted rehusar, ¿verdad, compañero Salinas?

SALINAS.—*(Sonriendo)* Un hombre como César Rubio, que tanto hizo. . . que hizo más que nadie por la revolución, no puede rehusar.

CESAR.—*(Vacilante)* En efecto; pero puede rehusar precisamente porque ya hizo. Hay que dejar el sitio a los nuevos, a los revolucionarios de hoy.

81

ELENA.—Tienes razón, César. No debes pensar en esto siquiera.

JULIA.—¿Pero no te das cuenta, mamá? ¡Papá gobernador! Debes aceptar, papá.

GUZMAN.—Gobernador... ¡y quién sabe qué más después! Todo el Norte estaría con él.

César da muestra de pensar profundamente en el dilema.

ELENA.—*(Que comprende todo)* César, óyeme. No dejes que te digan más... No debes...

MIGUEL.—¿Por qué no, mamá? *(Inflexible)*

ELENA.—¡César!

CESAR.—*(A Guzmán)* ¿Por qué ha dicho usted eso? Nunca he pensado en... César Rubio no hizo la revolución para ese objeto.

GUZMAN.—Yo sí he pensado, mi general. Lo pensé desde que vi la noticia.

ESTRELLA.—El señor Presidente de la República me dijo por teléfono: Dígale a César Rubio que siempre lo he admirado como revolucionario, que en su reaparición veo un triunfo para la revolución; que juegue como precandidato y que venga a verme.

CESAR.—*(Reacciona un momento)* No... No puedo aceptar.

GUZMAN.—Tiene usted que hacerlo, mi general.

GARZA.—Por el Estado, mi general.

ESTRELLA.—Mi general, por la revolución.

SALINAS.—*(Con una sonrisa insistente)* Por lo que yo sé de César Rubio, él aceptaría.

CESAR.—*(Contestando directamente)* El señor diputado tiene todavía sus dudas sobre mi personalidad. Lo que no sabe es que a César Rubio nunca lo llevó a la revolución la simple ambición de gobernar. El poder mata siempre el valor personal del hombre. O se es hombre, o se tiene poder. Yo soy hombre.

ESTRELLA.—Muy bien, mi general, pero en México sólo gobiernan los hombres.

GUZMAN.—Si tú tienes dudas, Salinas, no estás con nosotros.

SALINAS.—Estoy, pero no quiero que nos equivoquemos. Yo siempre he sido del partido que gana, y ustedes también, para ser francos. El general no nos ha dado pruebas hasta ahora... yo no discuto; su nombre es bueno; pero no quiero que vayamos a quedar mal... por las dudas... ustedes me entienden.

ESTRELLA.—Compañero Salinas, debo decirle que su actitud no me parece revolucionaria.

CESAR.—Yo entiendo perfectamente al señor diputado... y tiene razón. Vale más que nadie quede mal... y que lo dejemos allí.

ELENA.—*(Tomando la mano de César y oprimiéndola)* Gracias, César. *(El sonríe; pero sería difícil decir por qué)*

GUZMAN.—¿Ves lo que has hecho? *(Salinas no responde)* General, no se preocupe usted. Nosotros respondemos de todo.

ESTRELLA.—Mi general, yo estimo que usted no está en libertad de tomar ninguna decisión hasta que haya hablado con el señor Presidente.

CESAR.—*(Desamparado, arrastrado al fin por la farsa)* ¿Debo hacerlo? Eso sería tanto como aceptar...

ELENA.—Escríbele, César; dale las gracias, pero no vayas.

ESTRELLA.—Señora, los escrúpulos del general lo honran; pero la revolución pasa en primer lugar.

GUZMAN.—General, el Estado se encuentra en situación difícil. Todos sabemos lo que hace el gobernador, conocemos sus enjuagues y no estamos de acuerdo con ellos. No queremos a Navarro; es un hombre sin escrúpulos, sin criterio revolucionario, enemigo del pueblo.

CESAR.—¿Y de ustedes?

GUZMAN.—No es sólo eso. Todos los municipios estamos contra ellos; en la última junta de presidentes municipales acordamos pedir la deposición del gobernador, y oponernos a que Navarro gane.

SALINAS.—Lo cierto es que el gobernador, igual que Navarro, excluyen a las buenas gentes de la región.

GARZA.—Son demasiado ambiciosos; han devorado juntos el presupuesto. Deben sueldos a los empleados, a los maestros, a todo el mundo; pero se han comprado ranchos y casas.

CESAR.—En otras palabras, ni el actual gobernador ni el general Navarro les brindan a ustedes ninguna ocasión de... colaborar.

GUZMAN.—¿Para qué engañarnos? Es la verdad, mi general. Es usted tan inteligente que no podemos negar...

ESTRELLA.—El señor Presidente ve en usted al elemento capaz de apaciguar el descontento, de pacificar la región, de armonizar el gobierno del Estado.

GARZA.—Pero los que somos de la misma tierra vemos en usted también al hombre de lucha, al hombre honrado que representa el espíritu del Norte. ¿Dónde está el mal si queremos colaborar con usted? Usted no es un ladrón ni un asesino.

CESAR.—Nunca creyó César Rubio que la revolución debiera hacerse para el Norte o para el Sur, sino para todo el país.

ESTRELLA.—Razón de más, mi general. Ese criterio colectivo y unitario es el mismo que anima al señor Presidente hacia la colectividad.

ELENA.—*(Cerca de César)* No oigas nada más ya, César. Diles que se vayan. . . te lo pido por. . .

CESAR.—*(La hace a un lado. Pausa)* Señores, les agradezco mucho. . . pero ustedes mismos, en su entusiasmo, que me conmueve, han olvidado que existe un impedimento insuperable.

ESTRELLA.—¿Qué quiere usted decir, señor?

CESAR.—Los plebiscitos serán dentro de cuatro semanas.

GUZMAN.—Por eso queremos resolver ya las cosas.

GARZA.—En seguida.

SALINAS.—Por lo menos, aclararlas.

ESTRELLA.—Las noticias publicadas en los periódicos sobre la reaparición de usted, son la propaganda más efectiva, mi general. No tendrá usted que hacer más que presentarse para ganar los plebiscitos.

CESAR.—El impedimento de que hablo es de carácter constitucional.

GUZMAN.—No sé a qué se refiera usted, señor general. Nosotros procedemos siempre con apego a la Constitución.

CESAR.—*(Sonriendo para sí)* Con apego a ella, todo candidato debe haber residido cuando menos un año en el Estado. Yo no volví a mi tierra sino hasta hace cuatro semanas. *(Esto lo dice con un tono definitivo, casi triunfal. Sin embargo, sería difícil precisar qué objeto es el que persigue ahora)*

GUZMAN.—Es verdad, pero. . .

SALINAS.—Eso yo lo sabía ya, pero esperaba a que el general lo dijera. Su actitud borra todas mis dudas y me convence de que es otro el candidato que debemos buscar.

GARZA.—*(Tímidamente)* Pero, hombre, yo creo que puede haber una solución.

ESTRELLA.—Debo decir que el partido considera este caso político como un caso de excepción... de emergencia casi. Lo que interesa es salvar a este Estado de caer en las garras del continuismo y de los reaccionarios. La Constitución local puede admitir la excepción y ser enmendada.

SALINAS.—Olvida usted que eso es función de los legisladores, compañero.

ESTRELLA.—No sólo no lo olvido, compañero, sino que el partido ha previsto también esa circunstancia y cuenta con la colaboración de ustedes para que la Constitución local sea reformada.

SALINAS.—Esto está por ver.

GUZMAN.—Hombre, Salinas...

ESTRELLA.—Creo que no es el lugar ni la ocasión de discutir...

CESAR.—*(Pausadamente)* Existen antecedentes, ¿o no? La Constitución Federal ha sido enmendada para sancionar la reelección y para ampliar los periodos por razones políticas. En lo que hace a las constituciones locales, el caso es más frecuente.

SALINAS.—No en este Estado. Usted, que es del Norte, debe de saberlo.

CESAR.—*(Sin alterarse)* Cuando, por ejemplo, un candidato ha estado desempeñando un alto puesto de confianza en el gobierno federal, no ha necesitado residir un año entero en su Estado natal con anterioridad a las elecciones. Le han bastado unas cuantas visitas. Pero...

ESTRELLA.—Naturalmente, mi general. Los gobiernos no pueden regirse por leyes de carácter general sin excepción. Lo que el partido ha hecho antes, lo hará ahora.

CESAR.—Sólo que yo no estoy en esas condiciones. No fue un alto empleo de confianza en el gobierno federal lo que me alejó de mi Estado, sino una humilde cátedra de historia de la revolución.

GUZMAN.—Eso a mí me parece más meritorio todavía.

ESTRELLA.—Mi general, deje usted al partido encargarse de legalizar la situación. Ha resuelto problemas más difíciles, de modo que, si quiere usted, saldremos esta misma noche para México.

CESAR.—*(Dirigiéndose a Salinas)* La Legislatura local se opone, ¿verdad?

GARZA.—Perdone, general. El compañero Salinas no es la Legislatura. Ni que fuera Luis XIV.

CESAR.—*(A Salinas)* Conteste usted.

SALINAS.—Cuando los veo a todos tan entusiasmados y tan llenos de confianza, no sé qué decir. Me opondré en la Cámara si lo creo necesario.

ESTRELLA.—Compañero Salinas, ¿no está usted en condiciones muy semejantes a las del general? Involuntariamente, por supuesto; pero recuerdo su elección. . . la arregló usted en México.

SALINAS.—*(Vivamente)* No es lo mismo. Estaba yo en una comisión oficial.

ESTRELLA.—Pues precisamente eso es lo que ocurre ahora con nuestro general. Ha sido llamado por el señor Presidente, lo cual le confiere un carácter de comisionado.

SALINAS.—Bueno, pues, en todo caso me regiré por la opinión de la mayoría.

ESTRELLA.—Es usted un buen revolucionario, compañero. Las mayorías apreciarán su actitud. *(Le tiende la mano con la más artificial sencillez)*

ELENA.—*(Angustiada)* He odiado siempre la política, César. No me obligues a. . . a separarme de ti.

CESAR.—Señores, mi situación, como ustedes ven, es muy difícil. Ni mi esposa ni yo queremos. . .

ESTRELLA.—Señor general, el conflicto entre la vida pública y la vida privada de un hombre es eterno. Pero un hombre como usted no puede tener vida privada. Ese es el precio de su grandeza, de su heroísmo.

CESAR.—¿Crees que estoy demasiado viejo para gobernar, Elena? Conoces mis ideas, mis sueños. . . sabes que podría hacer algo por mi Estado, por mi país. . . tanto como cualquier mexicano. . .

GUZMAN.—¡Oh, mucho más, mi general!

CESAR.—Quizás, en el fondo, he deseado esta oportunidad siempre. Si me la ofrecen ellos libremente, ¿por qué no voy a aceptar? Soy un hombre honrado. Puedo ser útil. He soñado tanto tiempo con serlo. Si ellos creen. . .

ESTRELLA.—Mi general, la utilidad de usted en la revolución, su obra, es conocida de todos. Nadie duda de su capacidad para gobernar, ¿verdad, señores?

GUZMAN.—Por supuesto. Nadie duda de que salvará al Estado.

GARZA.—Estamos seguros. Contamos con usted para eso.

ESTRELLA.—El partido proveerá a que usted, que ha estado un tanto alejado del medio, cuente en su gobierno con los colaboradores adecuados. ¿No es así, compañero Salinas?

SALINAS.—Claro está, compañero Estrella.

CESAR.—Comprende lo que quiero, Elena. ¿Por qué no? Pero nada haría yo sin ti.

ESTRELLA.—El señor Presidente, que es un gran hombre de familia, apreciará esta noble actitud de usted. Pero usted, señora, debe recordar la gloriosa tradición de heroísmo y de sacrificio de la mujer mexicana; inspirarse en las nobles heroínas de la independencia y en ese tipo más noble aún si cabe, símbolo de la femineidad mexicana, que es la soldadera.

ELENA.—*(Con un ademán casi brusco)* Le ruego que no me mezcle usted a sus maniobras.

MIGUEL.—*(Apremiante)* Hay algo que no dices, mamá. ¿Por qué? ¿Qué cosa es?

JULIA.—Mamá, yo comprendo muy bien... tienes miedo. Pero puedes ayudar a papá... tal vez yo también pueda. Debemos hacerlo.

MIGUEL.—¿Qué cosa es, mamá?

JULIA.—Déjala, no la tortures ahora con esas preguntas. Mamá...

ELENA.—¡César!

CESAR.—*(Mirándola de frente y hablando pausadamente)* Di lo que tengas que decir. Puedes hacerlo.

ELENA.—Tengo miedo por ti, César.

ESTRELLA.—Señora, de la vida de mi general cuidaremos todos, pero más que nadie su glorioso destino.

ELENA.—¡César!

CESAR.—*(Impaciente, pero frío, definitivo)* Dilo ya, ¡dilo!

Elena se yergue apretando las manos.

En el momento en que quizá va a gritar la verdad, aparecen en la puerta derecha Treviño y Emeterio Rocha. Rocha es un viejo robusto y sano, de unos sesenta y cinco años. Todos se vuelven hacia ellos.

TREVIÑO.—¿Cuál es?

SALINAS.—Tú lo conoces, ¿verdad, viejo?

ROCHA.—*(Deteniéndose y mirando en torno)* ¿Cuál dices? ¿Este? *(Da un paso hacia César)*

CESAR.—*(Adelantándose después de un ademán de fuga: todo a una carta)* ¿Ya no me conoces, Emeterio Rocha?

ROCHA.—*(Mirándolo lentamente)* Hace tantos años que...

GUZMAN.—El general lo conoce.

SALINAS.—Pero no se trata de eso.

ROCHA.—Creo que no has cambiado nada. Sólo te ha crecido el bigote. Eres el mismo.

SALINAS.—¿Cómo se llama este hombre, viejo?

CESAR.—Anda, Emeterio, dilo.

ROCHA.—*(Esforzándose por recordar)* Pues, hombre, es curioso. Pero eres el mismo... pues sí... el mismo César Rubio.

CESAR.—¿Estás seguro de que ése es mi nombre, Emeterio?

ROCHA.—No podría darte otro. Claro, César... César Rubio. Te conozco desde que jugabas a las canicas en la calle Real.

CESAR.—¿Estás seguro de reconocerme?

ROCHA.—*(Simplemente, tendiéndole la mano)* ¿Pues no decían que te habían matado, César?

César le estrecha la mano sonriendo.

TREVIÑO.—Allí viene una multitud.

Empiezan a oírse voces cuya proximidad se acentúa gradualmente.

GUZMAN.—Es claro. Todo el pueblo se ha enterado ya. Ahora sí, Salinas, se acabaron las dudas.

MIGUEL.—*(Mirando a César)* ¿Se acabaron?

SALINAS.—Ahora sí. Perdóneme, mi general.

César le da la mano en silencio. Las voces se precisan. Dicen: ¡César Rubio! ¡Queremos a César Rubio!

ESTRELLA.—Mi general, diga usted la palabra, diga usted que acepta.

ELENA.—César. . .

CESAR.—*(Con simple dignidad)* Si ustedes creen que puedo servir de algo, acepto. Acepto agradecido.

Julia lo besa. Elena lo mira con angustia y le oprime la mano. Miguel retrocede un paso.

GUZMAN.—*(Corre a la puerta derecha, grita hacia afuera)* ¡Viva César Rubio, muchachos!

Vocerío dentro: ¡Viva! ¡Viva, jijos! Las mujeres corren a la ventana; miran hacia afuera.

JULIA.—Mira, papá, ¡mira! *(César se acerca)* Ese hombre del bigote negro es el que vino a buscarte antes.

ESTRELLA.—*(Mirando también)* ¿Lo conoce usted, mi general?

CESAR.—*(Después de una pausa)* Es el llamado general Navarro.

ROCHA.—Sirvió a tus órdenes en un tiempo. Creo que fue tu ayudante, ¿no? Pero el que nace para ladrón. . . *(César no contesta)*

Voces dentro: ¡César Rubio! ¡César Rubio! ¡César Rubio!

GUZMAN.—*(Entrando)* Mi general, aquí afuera, por favor. Quieren verlo.

ESTRELLA.—*(Asomándose y frotándose las manos)* Allí vienen los periodistas también.

César se dirige a la puerta. Miguel le cierra el paso.

CESAR.—¿Qué quieres? *(Miguel no contesta)* Parece como que tú no lo crees, ¿verdad?

MIGUEL.—¿Y tú?

ESTRELLA Y LA MULTITUD.—¡Viva César Rubio! ¡Viva nuestro héroe!

CESAR.—*(Con un ademán)* Esa es mi respuesta.

91

Sale. Miguel va hacia Elena y la toma por la mano, sin hablar. Fuera se oyen nuevos vivas.

LA VOZ DEL FOTOGRAFO.—¡Un momento así, mi general! *(Magnesio)* Ahora una estrechando la mano del licenciado Estrella. ¡Eso es! *(Magnesio)* Ahora con la familia. *(Vivas)*

CESAR.—*(Asomando)* Ven, Elena; ven, Julia, ¡Miguel! *(Elena se acerca, él rodea su talle con un brazo, la oprime)* ¡Todo contigo!

Salen. Julia los sigue. Nuevos vivas adentro.

Miguel queda solo, dando la espalda a la puerta y a la ventana de la derecha, y baja pensativo al primer término centro. Se vuelve a la puerta desde allí. El ruido es atronador.

LA VOZ DE CESAR.—*(Dentro)* ¡Miguel, hijo!

Miguel se dirige a la izquierda con una violenta reacción de disgusto, mientras afuera continúan las voces y se oyen algunos cohetes o balazos, y cae el TELON

ACTO TERCERO

Cuatro semanas después, cerca de las once de la mañana, en la casa del profesor César Rubio. La sala tiene ahora el aspecto de una oficina provisional. Hay un escritorio; una mesa para máquina de escribir, con su máquina; papeles y libros amontonados. Hay un rollo de carteles en el suelo, junto a los arcos del comedor. Uno de ellos, desplegado, muestra la imagen de César Rubio con la leyenda El candidato del pueblo. *En esta improvisación y en este desorden se advierte cierta ostentación de pobreza, una insistencia de César Rubio en presumir de modestia.*

Instalado ante el escritorio, Estrella despacha la correspondencia. Guzmán, sentado en un sillón de tule, fuma un cigarro de hoja. Salinas fuma también, recargado contra la puerta derecha.

ESTRELLA.—Un telegrama del señor Presidente, señores. *(Los otros vuelven la cabeza hacia él. Lee)* "Deseo que en los plebiscitos de hoy el pueblo premie en usted al héroe de la Revolución Punto Si no fuera así su colaboración me será siempre inestimable Punto Ruégole informarme inmediatamente resultado plebiscito Punto Afectuosamente". *(Deja el telegrama; actúa)* Este es un documento histórico, único.

GUZMAN.—Ganaríamos de todos modos, aunque el Presidente no quisiera. No se ha visto un movimiento semejante en el pueblo desde Madero. El general se ha echado a la bolsa a todo el mundo.

ESTRELLA.—Es un hombre extraordinario. Sabe escuchar, callar, decir lo estrictamente preciso, y obrar con una energía y una limpieza como no había yo visto nunca. Pero es preferible contar con el apoyo del Centro. ¿No es verdad, compañero Salinas? *(Salinas mueve la cabeza afirmativamente)* Al señor Presidente lo conquistó a las cuatro palabras. Y aquí, ya ven.

SALINAS.—Nunca en mi vida política vi un entusiasmo semejante. Los plebiscitos están prácticamente ganados; pero yo no estoy tranquilo.

GUZMAN.—Otra vez. Ya te llaman dondequiera el diputado, por las dudas.

ESTRELLA.—¿Qué quiere usted decir?

SALINAS.—*(Abandona su posición y entra cruzando hacia el primer término centro)* Quiero decir que corren rumores muy feos. En todo caso, Navarro no es hombre para quedarse así nomás. Hay que tener mucho cuidado, y sería bueno que el general se armara, por las dudas.

GUZMAN.—¿No te digo? Primero lo convencerías de renunciar que de portar pistola, hombre. No es como nosotros. Además, yo tengo establecida una vigilancia muy completa. No pasará nada.

SALINAS.—Ojalá. Estoy convencido ya de que el general es un gran hombre —el más grande de todos— y debe llevarnos adonde necesitamos ir. Es preciso que no pase nada, Epigmenio.

GUZMAN.—¡Qué va a pasar, hombre!

ESTRELLA.—*(Levantándose)* El compañero Salinas tiene lo que llaman los franceses una *idée fixe*. (Lo *miran)* Quiere decir idea fija. Me gustaría que se explicara. Los plebiscitos deben empezar a las once y media. . . *(Ojeada al reloj pulsera)* Tenemos el tiempo de llegar apenas. Explíquese, compañero.

SALINAS.—Hombre, en primer lugar, Navarro ha dicho por ahí que el general no ganará mientras él viva. *(Guzmán emite un sonido de burla)* . . .Y luego. . . *(se detiene)*

GUZMAN.—¿Qué pues? Hable ya.

SALINAS.—Ha dicho que él tiene medios de. . . probar que el general es un impostor, ¡vaya! *(Se enjuga la frente. Guzmán ríe a carcajadas)*

ESTRELLA.—Creo que tendré que hablar unas palabras con el general Navarro, en nombre del Partido.

GUZMAN.—Ese te ganó, Salinas.

SALINAS.—Basta que Navarro lo diga para que nadie lo crea. De todos modos, hay que ponerse muy águilas.

ESTRELLA.—¿Quieren que les diga mi opinión muy franca, señores?

GUZMAN.—A ver.

ESTRELLA.—Si el general Navarro viera un poco más de cerca al general Rubio, le pasaría lo que a todos los demás, lo mismo que a usted, Salinas.

SALINAS.—¿Qué?

ESTRELLA.—Se volvería rubista. *(Los otros ríen)* Hablo en serio. El general Rubio tiene un magnetismo inexplicable. Yo sé, por ejemplo, que el presidente del partido es un hombre difícil. Bueno, pues en media hora de plática, parecía como que se había enamorado de él. *(Guzmán ríe satisfecho)*

SALINAS.—¿Y Garza? ¿No debía venir a las diez y media?

GUZMAN.—Garza está allá, acabando de arreglar todo lo necesario. Allá lo veremos.

SALINAS.—¿Y Treviño?

ESTRELLA.—Tiene que ayudar a Garza.

SALINAS.—Pero ya debían estar aquí, ¿no?

GUZMAN.—¡Qué nervioso estás! Ni que fueras el candidato.

ESTRELLA.—Así les pasa en las bodas a las damas de la novia. Se anticipan.

SALINAS.—Digan lo que quieran. Yo no estaré tranquilo hasta ver al general en el palacio de gobierno. Por las dudas.

GUZMAN.—Cállate. Ahí viene.

Se oyen los pasos de César en la escalera. Los tres hombres se reunen para saludarlo. Entra César Rubio. En estas cuantas semanas se ha operado en él una transfiguración impresionante. Las agitaciones, los excesos de control nervioso, la fiebre de la ambición, la lucha contra el miedo, han dado a su rostro una nobleza serena y a su mirada una limpidez, una seguridad casi increíble. Está pálido, un poco afilado, pero revestido de esa dignidad peculiar en el mestizo de categoría. A pesar del calor, viste un pantalón y un saco de casimir oscuro; una camisa blanca y fina y una corbata azul marino de algodón. Lleva en la mano un sombrero de los llamados tejanos, blanco, "cinco equis" que ostenta el águila de general de división. Este sería el único lujo de su nueva personalidad, si no se considerara en primer lugar la minuciosa limpieza de su persona como un lujo mayor aún.

CESAR.—Buenos días, muchachos.

TODOS.—Buenos días, mi general.

ESTRELLA.—¿Cómo se siente el señor gobernador?

CESAR.—¿Para qué anticipar las cosas, Estrella? Nada pierde uno con esperar.

GUZMAN.—Eso es pan comido, señor.

ESTRELLA.—Vea usted este telegrama del señor Presidente, mi general, por si le quedan dudas.

CESAR.—*(Después de pasar la vista por el telegrama)* Ninguna duda, Estrella. No puede haberla donde sabe uno que las cosas simplemente son o no son. *(Deja el sombrero sobre el escritorio y aparta los telegramas con una mano, sin fijarse mucho en ellos)* Lo bueno de la carrera del político. . . ¿No hay telegrama del profesor Bolton?

ESTRELLA.—Envía su felicitación, mi general; pero no puede venir. Ofrece estar presente en la toma de posesión.

CESAR.—*(Sencillamente)* Me hubiera gustado verlo aquí hoy. *(Pasea de un extremo a otro, lentamente)* Lo bueno de la carrera del político es que lo pone a uno en contacto con las raíces de las cosas, con los hechos, con la acción. La política es una especie de filología de la vida que lo concatena todo. Pero lo que yo prefiero es este vivir frente a frente con el tiempo, sin escapatoria. . . este ir de la mano con el tiempo sin perder ya un segundo de él. *(Se detiene, levanta el cartel y lo mira. Luego busca dónde colgarlo mientras sigue hablando. Guzmán y Salinas se precipitan, toman el cartel y lo prenden sobre uno de los arcos. César, mirándose en su imagen, continúa)* Va uno al fondo de las pasiones humanas sin perder su tiempo, y conoce uno el precio de todo a primera vista. . . y lo paga uno. La política lo relaciona a uno con todas las cosas originales, con todos los sistemas del movimiento, empezando por el de las estrellas. Se sabe la causa y el objeto de todo; pero se sabe a la vez que no puede uno revelarlos. Se conoce el precio del hombre. Y así el gran político viene a ser el latido, el corazón de las cosas.

ESTRELLA.—*(Que es el único que ha entendido un poco)* La política es superior a todo lo demás, en efecto, mi general. Es un ejercicio de todo el cuerpo y de todo el espíritu.

CESAR.—*(Dejando pasar la interrupción)* El político es el eje de la rueda; cuando se rompe o se corrompe, la rueda, que es el pueblo, se hace pedazos; él separa todo lo que no serviría junto, liga todo lo que no podría existir separado. Al principio, este movimiento del pueblo que gira en torno a uno produce una sensación de vacío y de muerte; después descubre uno su función en ese movimiento, el ritmo de la rueda que no serviría sin eje, sin uno. Y se siente la única paz del poder, que es moverse y hacer mover a los demás a tiempo con el tiempo. Y por eso ocurre que el político puede ser, es, en México, el mayor creador o el destructor más grande. ¿Es parecido a mí este retrato?

GUZMAN.—Ya lo creo que es parecido. El otro día, viendo un cartel, me decía uno de los viejos del pueblo, que lo conoció a usted cuando empezaba en la revolución: César no cambia; está igual que cuando le barrieron a la gente er. Hidalgo, hace treinta años.

ESTRELLA.—El heroísmo es una especie de juventud eterna, mi general.

CESAR.—Es verdad. Este retrato se parece más al César Rubio de principios de la revolución que a mí. Y sin embargo, soy yo. *(Sonríe)* Es curioso. ¿Quién lo hizo?

SALINAS.—Un grabador viejo de aquí del pueblo.

CESAR.—El pueblo entiende muchas cosas. *(Sonríe, piensa un momento y abre la boca como si fuera a decir algo más sobre esto. Se reprime, se pone las manos a la espalda y da algunos pasos al frente)* ¿Corrigió usted su discurso, Estrella?

ESTRELLA.—Está listo, mi general.

CESAR.—¿En la forma que habíamos convenido. . . acerca de mi resurrección?

ESTRELLA.—Sí, mi general. *(Declama)* "Sólo los pueblos nobles que han sufrido pueden esperar acontecimientos así de. . .

CESAR.—*(Interrumpiéndolo)* Permítamelo. *(Estrella se lo tiende)* ¿Hay gente afuera?

GUZMAN.—Veinte o treinta.

CESAR.—Diles que me vean en el plebiscito, Salinas. *(Salinas sale. Mientras, César lee y pasea. Termina de leer y devuelve su discurso a Estrella)* Muy bien, licenciado. *(Ojeada a su reloj de bolsillo)*

ESTRELLA.—Gracias, mi general.

SALINAS.—*(Volviendo)* Señor, creo que ya es hora de irnos.

CESAR.—¿Se fue la gente?

SALINAS.—No; todos quieren escoltarlo a usted hasta el pueblo. *(César sonríe)* Los carros están listos.

CESAR.—Ya nos vamos. Nada más voy a despedirme de mi esposa.

Se dirige hacia la puerta izquierda. En ese momento entra Treviño, sin aliento.

CESAR.—*(Casi en la puerta, se vuelve)* ¿Qué pasó?

Los otros se agrupan.

TREVIÑO.—Mi general, ahí viene Navarro. Viene a verlo a usted.

CESAR.—*(Un paso adelante)* ¿Navarro?

GUZMAN.—¡Es el colmo del descaro! ¿Qué quiere aquí?

ESTRELLA.—Me lo figuro. Ha de venir a buscar

una componenda, porque el presidente del partido lo mandó regañar.

SALINAS.—No me fío.

GUZMAN.—¿Qué hacemos, mi general?

CESAR.—Déjenlo venir. Yo voy a despedirme de mi esposa. Que me espere aquí.

TREVIÑO.—Pero probablemente quiere una entrevista privada.

CESAR.—*(Con una sonrisa)* Seguramente.

ESTRELLA.—¿Se la concederá usted?

CESAR.—¿Por qué no?

SALINAS.—Mi general, por favor... *(Saca su pistola y se la ofrece)*

CESAR.—*(Riendo)* No, hombre. Así me daría miedo.

SALINAS.—*(Suplicante)* Mi general...

CESAR.—*(Dándole una palmada)* Guárdate eso. No seas tonto, hijo.

GUZMAN.—No le hace, mi general; nosotros estamos armados.

CESAR.—*(Severamente)* Mucho cuidado, Epigmenio. Navarro viene aquí como parlamentario. No vayan a hacer ninguna tontería. Trátenlo con discreción, con buenos modos, igual que a los que vengan con él. *(Gestos de descontento)* Quiero que se me obedezca, ¿entendido?

Regresa hacia el escritorio, para tomar su sombrero.

GUZMAN.—Está bueno, pues, mi general.

César sale por la izquierda.

ESTRELLA.—*(Sonriendo y alzando los brazos)* Esos son pantalones, señores.

GUZMAN.—Es igual. Ojalá se me disparara sola ésta, *(señala su pistola)* cuando esté aquí Navarro.

SALINAS.—¿Con quién viene, tú?

TREVIÑO.—No pude ver bien; pero creo que con Salas y León.

GUZMAN.—Sus pistoleros, seguro. Se me hace que aquí va a pasar algo.

ESTRELLA.—Nada. Apuesto cualquier cosa a que viene a decir que se retira del plebiscito y que quiere una chamba.

SALINAS.—*(Riendo)* ¡Muy fácil! Usted todavía no conoce bien a los norteños, licenciado. *(Va hacia la puerta)*

ESTRELLA.—Eso le daría mejor resultado; podría enderezarlo con el partido.

GUZMAN.—Pues no hay más que abrir bien los ojos.

SALINAS.—*(Desde la puerta)* Allí están. *(Entra)*

Sin decir palabra, Guzmán, Treviño y Salinas revisan sus pistolas; se cercioran de que salen con facilidad del cinturón, y esperan alineados, mirando a la puerta.

ESTRELLA.—*(Mientras habla se desliza insensiblemente detrás de ellos)* Todo eso son precauciones inútiles, señores. Además, se ponen ustedes en plan de ataque, a pesar de las órdenes del general.

GUZMAN.—*(Apretando los dientes. Sin volverse)* ¿Qué sabemos cómo vienen estos...?

SALINAS.—*(Sin volverse)* Es nomás por las dudas.

TREVIÑO.—*(Mismo juego)* A ver si no pasa aquí lo que no ha pasado en tanto tiempo.

GUZMAN.—*(Sin volverse. Con una risita)* Yo siempre le he tenido ganas a Navarro.

ESTRELLA.—*(Cerciorándose de que está bien protegido, mientras mira con inquietud hacia la puerta)* ¡Prudencia! ¡Prudencia! Hay que cumplir las órdenes del general, señores...

Todos están mirando a la puerta con una intensidad que, después de un momento, afloja. Treviño es el primero que se sienta sin hablar.

GUZMAN.—*(Enjugándose la frente y dirigiéndose hacia el sofá)* ¡Bah! Que lleguen cuando gusten.

SALINAS.—*(Torciendo un cigarro y abandonando guardia)* Qué pronto se cansan ustedes.

ESTRELLA.—*(Volviendo al escritorio)* En realidad, es mejor así.

En este momento, como si hubiera estado esperando esta nueva actitud, entra Navarro flanqueado por sus dos pistoleros. Es el desconocido del segundo acto.

NAVARRO.—¿Qué hay, muchachos? *(Sobresalto general. Todos se levantan y agrupan)* No se espanten, hombre. *(Cruza al centro)* ¿Dónde está el maestrito ése? *(Riendo)* No me esperaban, ¿eh?

ESTRELLA.—*(Un poco tembloroso, pero impecable)* El señor general Rubio está enterado de la visita de usted y le ruega que tenga la bondad de esperar. *(Los hombres de Navarro se burlan un poco de esta fórmula)*

NAVARRO.—*(Mordiéndose los labios)* ¡Ah, vaya! *(Se vuelve hacia sus pistoleros)* Pues haremos antesala, muchachos. ¿Qué les parece?

SALAS.—Como en la Presidencia, jefe. *(Ríe)*

LEON.—*(Con un movimiento amenazador)* Lo que es nosotros, no lo haremos esperar a él.

GUZMAN.—*(Adelantando un paso hacia él)* ¿Con qué sentido lo dices?

LEON.—*(Imitándolo)* Con el que tú quieras, Epigmenio. Con éste. *(Hace ademán de desenfundar)*

ESTRELLA.—¡Señores! ¡Señores!

NAVARRO.—¡Quieto, León! *(Epigmenio Guzmán y León retroceden hacia ángulos opuestos mirándose con ferocidad de matones. A Estrella:)* Usted es el representante del partido, ¿no? Dígale a Rubio que quiero hablarle a solas.

ESTRELLA.—El señor general Rubio sabe que quiere usted hablarle a solas. Así será.

NAVARRO.—*(Mordiéndose los labios)* No puede negar que es maestro, lo sabe todo. ¿Entonces qué esperan ustedes para salir?

SALINAS.—Si crees que vamos a dejar aquí solos con él a tres matones con pistolas...

NAVARRO.—*(Amenazador)* Mira, Salinas... *(Transición. Ríe)* Yo no vengo armado. *(Abre ligeramente su saco para probarlo)*

GUZMAN.—Pero éstos sí.

NAVARRO.—Salas, dale tu pistola a León.

SALAS.—Pero, oye...

NAVARRO.—*(Con mando brutal)* Dale tu pistola a León. *(Salas lo obedece a regañadientes)* León, espéranos en el coche. Salas se reunirá contigo dentro de un momento y me esperarán juntos. *(León sale después de mirar hacia los otros y escupir)* Ahora, güeritos, lárguense ustedes también. *(Los otros dudan)*

ESTRELLA.—Son las órdenes del general, señores.

GUZMAN.—*(A Treviño)* Vente... vamos a cuidarle las manos al León de circo ése.

SALINAS.—El general dijo que lo esperara Navarro *solo.*

ESTRELLA.—Yo voy a subir; bajaré con el general. No hay cuidado.

NAVARRO.—Me gusta la conversación. Salas se queda conmigo hasta que baje el maestrito.

Guzmán y Treviño salen. Salinas los imita moviendo la cabeza. Todavía en la puerta derecha se vuelve con desconfianza. Estrella sale por la izquierda. Se le oye subir la escalera.

NAVARRO.—*(En voz alta)* ¡Qué cerote tienen éstos! Te aseguro que nos van a espiar.

SALAS.—También yo no sé para qué quieres hablar con Rubio.

NAVARRO.—Dicen que es muy buen conversador. *(Ríe)* Dame un cigarro de papel, ¿tienes? *(Salas se acerca a dárselo)* Lumbre. *(Salas enciende un cerillo y se acerca más para encender el cigarro. De este modo quedan los dos en primer término centro, casi fuera del arco del proscenio)* ¿Está todo arreglado?

SALAS.—Todo, jefe.

Salinas asoma brevemente la cabeza. Navarro lo ve, ríe; Salinas desaparece.

NAVARRO.—Ya sabes entonces: si no hay arreglo, te vas volado en el carro chico y preparas el numerito.

SALAS.—¿Cómo voy a saber?

NAVARRO.—*(Después de pausa. Ríe)* Yo no puedo salir a hacerte la seña; pero como las gentes de éste van a estar pendientes, me arreglaré para que entre Salinas. Cuando lo veas entrar, vuelas.

SALAS.—Bueno.

NAVARRO.—Nada más que háganlo todo bien. Apenas suceda la cosa, deshagan a balazos al loco ése. Recuerda bien lo del crucifijo y los escapularios.

SALAS.—Eso ya está listo. Entonces Salinas es la señal.

NAVARRO.—Sí, cuando entre. Si no entra, me esperas con León.

SALAS.—Bueno.

NAVARRO.—Vete ya. *(Ríe)* No vayan a creer que estamos conspirando.

Salas sale por la derecha. Navarro dirige una mi-

rada circular a la pieza y una sonrisa burlona aparece en sus labios cuando mira el cartel. Se acerca a él sonriendo, se detiene, alza la mano y da un papirotazo al retrato. Se oyen pasos en la escalera: Navarro se vuelve y aguarda. Un momento después aparecen César Rubio y Estrella por la izquierda. Los dos antagonistas se encuentran al centro frente a frente. Se miden con burla silenciosa. César es el primero que habla.

CESAR.—¿Qué hay, Navarro?

NAVARRO.—¿Qué hay, César?

CESAR.—Déjenos solos, licenciado. Nos vamos dentro de unos minutos. *(Navarro ríe entre dientes. Estrella sale después de mirarlos. Cuando quedan solos habla César)* ¿No te sientas?

NAVARRO.—¿Por qué no?

Se dirige al sofá de tule. César lo sigue. Se sientan.

CESAR.—¿De qué se trata, pues?

NAVARRO.—Perdóname, no me deja hablar la risa.

CESAR.—*(Altivamente)* ¿Cómo?

NAVARRO.—Te viene grande la figura de César Rubio, hombre. No sé cómo has tenido el descaro... el valor de meterte en esta farsa.

CESAR.—¿Qué quieres decir?

NAVARRO.—Te llamas César y te apellidas Rubio, pero eso es todo lo que tienes de general. No te acuerdas de que te conocí desde niño.

CESAR.—Hasta los viejos del pueblo me han reconocido.

NAVARRO.—Claro. Se acuerdan de tu cara, y cuando quieren nombrarte no tienen más remedio que decir César Rubio. ¡Bah! Ahorremos palabras. A mí no me engañas.

CESAR.—*(Con desprecio)* ¿Es eso todo lo que tienes que decirme?

NAVARRO.—También quiero decirte que no seas tonto, que te retires de esto. *(César no contesta)* Te puedes arrepentir muy tarde. *(Silencio de César)* Tú no conoces la política, César. Esto no es la universidad de México. Aquí rompemos algo más que vidrios y quemamos algo más que cohetes.

CESAR.—¿Qué te propones?

NAVARRO.—Te voy a denunciar en los plebiscitos. Cuando vean que no eres más que un farsante, que estás copiando los gestos de un muerto. . .

CESAR.—¡Imbécil! No puedes luchar contra una creencia general. Para todo el Norte soy César Rubio. Mira ese retrato, por ejemplo: se parece a mí y se parece al otro, fíjate bien. ¿No recuerdas?

NAVARRO.—Te denunciaré de todas maneras.

CESAR.—¿Por qué no te atreves a mirar el retrato? Anda y denúnciame. Anda y cuéntale al indio que la virgen de Guadalupe es una invención de la política española. Verás qué te dice. Soy el único César Rubio porque la gente lo quiere, lo cree así.

NAVARRO.—Eres un impostor barato. Se te ha ocurrido lo más absurdo. Aquí podías presumir de sabio sin que nadie te tapara el gallo, ¡y te pones a presumir de general!

CESAR.—Igual que tú.

NAVARRO.—¿Qué dices?

CESAR.—Digo: igual que tú. Eres tan poco general como yo o como cualquiera. *(Miguel entra apenas en este momento sin que se le haya sentido bajar. Al oír las voces de detiene, retrocede y desaparece sin ser visto, pero desde este momento asomará incidentalmente la cabeza varias veces)* ¿De dónde eres general tú? César Rubio te hizo teniente porque sabías robar caballos; pero eso es todo. El viejo caudillo, ya sabes cuál, te hizo divisionario porque ayudaste a matar a todos los católicos que aprehendían. No sólo eso... le conseguiste mujeres. Esa es tu hoja de servicios.

NAVARRO.—*(Pálido de rabia)* Te estás metiendo con cosas que...

CESAR.—¿No es cierto? Todas las noches te tomabas una botella entera de coñac para poder matar personalmente a los detenidos en la Inspección. Y si nada más hubiera sido coñac...

NAVARRO.—¡Ten cuidado!

CESAR.—¿De qué? Puede que yo no sea el gran César Rubio. Pero, ¿quién eres tú? ¿Quién es cada uno en México? Dondequiera encuentras impostores, impersonadores, simuladores; asesinos disfrazados de héroes, burgueses disfrazados de líderes; ladrones disfrazados de diputados, ministros disfrazados de sabios, caciques disfrazados de demócratas, charlatanes disfrazados de licenciados, demagogos disfrazados de hombres. ¿Quién les pide cuentas? Todos son unos gesticuladores hipócritas.

NAVARRO.—Ninguno ha robado, como tú, personalidad de otro.

CESAR.—¿No? Todos usan ideas que no son suyas; todos son como las botellas que se usan en el teatro: con etiqueta de coñac, y rellenas de limonada; otros son rábanos o guayabas: un color por fuera y otro por dentro. Es una cosa del país. Está en toda la historia, que tú no conoces. Pero tú, mírate, tú. Has conocido de cerca a los caudillos de todos los partidos, porque los has servido a todos por la misma razón. Los más puros de entre ellos han necesitado siempre de tus manos para cometer sus crímenes, de tu conciencia para recoger sus remordimientos, como un basurero. En vez de aplastarte con el pie, te han dado honores y dinero porque conocías sus secretos y ejecutabas sus bajezas.

NAVARRO.—*(Con furia)* No se trata de mí, sino de ti, un maestrillo mediocre, un fracasado que nada pudo hacer por sí mismo... ni siquiera matar, y que sólo puede vivir tomando la figura de un muerto. Ese es un gesto superior a todos. De ti, a quien voy a denunciar hoy y a poner en ridículo aunque sea el último acto de mi vida. ¡Estás a tiempo de retroceder, César! Hazlo, déjame el campo libre, no me provoques.

CESAR.—¿Y quién eres tú para que yo te tema? No soy César Rubio. *(La cara angustiada de Miguel aparece un momento)* Pero sé que puedo serlo, hacer lo que él quería. Sé que puedo hacer bien a mi país impidiendo que lo gobiernen los ladrones y los asesinos como tú... que tengo en un solo día más ideas de gobierno que tú en toda tu vida. Tú y los tuyos están probados ya y no sirven... están podridos; no sirven para nada más que para fomentar la vergüenza y la hipocresía de México. No creas que me das miedo. Empecé mintiendo, pero me he vuelto verdadero, sin saber cómo, y ahora soy cierto. Ahora conozco mi destino: sé que debo completar el destino de César Rubio.

NAVARRO.—*(Levantándose)* Allá tú; pero no te quejes luego, porque hoy todo el pueblo, todo el Estado, todo el país, van a saber quién eres.

CESAR.—*(Levantándose)* Denúnciame, eso es. No podrías escoger un camino más seguro para destruirte tú solo.

NAVARRO.—¿Qué quieres decir?

CESAR.—¿Te interesa, eh? Dime una cosa: ¿cómo vas a probar que yo no soy el general César Rubio?

Miguel asoma y oculta la cabeza entre las manos.

NAVARRO.—Ya lo verás.

CESAR.—Me interesa demasiado para esperar. A mi vez, debo advertirte de paso que nadie creerá palabra de lo que tú digas. Estás demasiado tarado, te odian demasiado. ¿Cómo vas a probar que César Rubio murió en 1914?

NAVARRO.—De modo irrefutable.

CESAR.—Es lo que yo creía. Puedes irte y probarlo. Es posible que acabes conmigo; pero acabarás contigo también.

NAVARRO.—Explícate.

CESAR.—¿Para qué? ¿No estás tan seguro de ti. . .?

NAVARRO.—Estoy tan seguro, que sé que te destruiré hoy.

CESAR.—¿Sí? *(Toma aliento)* ¿Dices que vas a probar de modo irrefutable la muerte de César Rubio?

NAVARRO.—Sí.

CESAR.—*(Sentándose)* Si supieras historia, sabrías que es difícil eso.

NAVARRO.—Lo probaré.

CESAR.—Sólo podrías hacerlo si hubieras sido testigo presencial de ella.

NAVARRO.—Lo fui.

CESAR.—¿Por qué no lo salvaste, entonces?

NAVARRO.—No fue posible. . . eran demasiados contra nosotros.

CESAR.—Ese fue el parte oficial que inventaron. Mientes.

NAVARRO.—En la balacera. . .

CESAR.—No hubo balacera.

NAVARRO.—¿Qué?

CESAR.—No hubo más que un asesinato. Fue la

primera vez en su carrera que se tomó una botella entera de coñac para que no le temblara el pulso.

NAVARRO.—¡No es verdad! ¡No es verdad!

CESAR.—¿Por qué niegas antes de que yo lo diga?

NAVARRO.—*(Tembloroso)* No he negado.

CESAR.—Te tranquilizaste demasiado pronto cuando me viste, el día que vino todo el pueblo. Hace cuatro semanas. Pero cuando yo salía, parecía que ibas a desmayarte. Habías tenido dudas, remordimientos, miedo...

NAVARRO.—¿Yo? ¿Por qué había de...? Eres un imbécil. No sabes lo que dices.

CESAR.—*(Levantándose con una terrible grandeza)* Tú dejaste ciego de un tiro al asistente de Canales. ¿Lo recuerdas?

NAVARRO.—¡Mentira!

CESAR.—Tú mataste al capitán Solís, a quien siempre envidiaste porque César Rubio lo prefería.

NAVARRO.—¡Te digo que mientes!

CESAR.—*(Imponente)* ¡Tú mataste a César Rubio!

NAVARRO.—¡No!

CESAR.—Hubieras debido matar a Canales, o cortarle la lengua. Está vivo y yo sé dónde está. Por este crimen te hicieron coronel.

NAVARRO.—¡Es una calumnia estúpida! Si tan seguro estás de eso, ¿por qué no se lo contaste a tu gringo?

CESAR.—Porque creía yo entonces que iba a necesitarte. No te necesito. Ve y denúnciame. Yo daré las pruebas, todas las pruebas de que dices la verdad... no puedo hacer más por un antiguo amigo. *(Navarro se deja caer abatido en un sillón. César lo mira y continúa)* ¿Te creías muy fuerte? ¿Qué dijiste? Dijiste: este maestrillo de escuela es un pobre diablo que quiere mordida. Le daré un susto primero y un hueso después. Porque no lo niegues, me lo ha dicho quien lo sabe: venías a ofrecerme la universidad regional. Yo siento no poder ofrecértela a ti, que no sabes ni escribir ni sumar. Ahora, vamos a los plebiscitos, pase lo que pase.

NAVARRO.—*(Reaccionando)* Bueno, si tú me denuncias te pierdes igualmente.

CESAR.—Así no me importa. Pero tú callarás. Mi crimen es demasiado modesto junto al tuyo, y soy generoso. Te doy veinticuatro horas para que te vayas del país, ¿entiendes? Tienes dinero suficiente: has robado bastante.

NAVARRO.—No me iré. Prefiero. . .

CESAR.—Si no lo haces, probaré que me asesinaste, y probaré también que me salvé. Puedo hacerlo; no creas que no he pensado en esta entrevista, en esta contingencia. Te he esperado todos los días desde hace una semana, y he tomado mis precauciones. *(Mira su reloj)* Es hora de ir a los plebiscitos.

NAVARRO.—*(Después de una pausa torturada)* Como quieras. . . pero te advierto lealmente que yo también he tomado mis precauciones, y que es mejor que no vayas a los plebiscitos.

CESAR.—¿Qué sabes tú lo que es lealtad? La palabra debería explotarte en los labios y deshacerte.

NAVARRO.—Puede costarte la vida.

CESAR.—Lo mismo que a ti. Es el precio de este juego.

NAVARRO.—Como quieras, entonces. Pero estás a tiempo. . . hasta para la universidad, mira. Podemos arreglarnos. Déjame pasar esta vez. . . después gobernarás tú. Entre los dos lo haremos todo.

CESAR.—Imbécil. No me sorprendería que me ase-
sinaras. Me sorprende que no lo hayas hecho ya.

NAVARRO.—No soy tan tonto.

CESAR.—Vete.

NAVARRO.—*(Se dirige a la puerta. Se vuelve, de
pronto)* Oye. . . quiero que llames aquí a Salinas. . . anda buscando pleito.

CESAR.—¿Tienes miedo a pelear de frente? Es
natural. *(Va a la puerta. Llama)* ¡Salinas! *(Navarro sonríe para sí)*

SALINAS.—*(Entrando)* Mande, general.

CESAR.—Estate aquí mientras pasa el *general* Navarro. Creo que te tiene miedo.

Se oye dentro el ruido de un automóvil que parte.

NAVARRO.—Tú solo te has sentenciado, *general*
Rubio.

SALINAS.—*(Echando mano a la pistola)* ¿Mi general?

CESAR.—*(Deteniendo su mano)* No desperdicies
tus cartuchos. Echale un poco de sal para que se
deshaga.

*Navarro, después de una última mirada, sale di-
ciendo:*

NAVARRO.—Será como tú lo has querido.

*Mutis por la derecha. Un momento después se oye
el ruido de automóviles en marcha, que se alejan.*

SALINAS.—Mi general, éste lleva malas intenciones. Yo creo que habría que pararle los pies. Deme
usted permiso.

CESAR.—No, Salinas, déjalo. No puede hacer nada.
*(Va al centro y ve a Miguel que sale, pálido, del marco
de la puerta izquierda. Se oyen pasos en la escalera)*
¡Miguel! ¿Estabas aquí?

MIGUEL.—*(Con voz extraña)* No. . . te traía tu sombrero. *(Se lo tiende)*

CESAR.—¿Qué tienes tú?

MIGUEL.—Nada.

Al mismo tiempo que aparece Elena en la puerta izquierda, Guzmán, Treviño y Estrella entran por la derecha.

CESAR.—Es hora de irnos, muchachos.

ELENA.—César, quiero hablarte un momento.

CESAR.—Tendrá que ser muy rápido, Elena. Por eso me despedí de ti antes. Vayan preparando los coches, muchachos, los alcanzaré en un instante. *(Miguel se dirige a la izquierda)* ¿Tú no vienes con nosotros, Miguel?

MIGUEL.—*(Se detiene, vacila visiblemente. Al fin, con un esfuerzo)* No. *(Todos lo miran. Comprende que debe dar una explicación)* No me siento bien. *(Rápido)* Si estoy mejor dentro de un rato, los alcanzaré allá.

Evita hablar directamente a su padre; no lo mira. Termina de hablar apenas cuando sale por la izquierda sin esperar más.

CESAR.—Vamos, muchachos. Adelántense.

GUZMAN.—*(Conforme salen)* Vamos a levantar una buena escolta. No me fío de Navarro. Se reía al subir a su coche.

Salen él, Treviño y Salinas, hablando entre ellos.

ESTRELLA.—*(Se detiene en el umbral y regresa unos pasos)* ¿Puedo preguntar cómo resultó la entrevista, mi general?

CESAR.—Muy bien. Tranquilícese, licenciado. Ande.

Estrella sale.

ELENA.—¿Qué entrevista? ¿Entonces es verdad que Navarro ha estado aquí? Eso es lo que quería preguntarte.

CESAR.—Sí, aquí estuvo.

ELENA.—¿Qué quería?

CESAR.—Ganar, naturalmente. Pero perdió.

ELENA.—César, no vayas a los plebiscitos.

CESAR.—*(Riendo)* Me recuerdas a la mujer de César... del romano. *(Se acerca a ella y le toma las manos)* ¿Tienes miedo?

ELENA.—Sí... es la verdad. Renuncia a todo esto, César. Navarro puede...

CESAR.—Navarro no puede nada ya Aquí perdió los dientes y las uñas.

ELENA.—Puede matarte todavía.

CESAR.—No es tan tonto.

ELENA.—¿Por qué habrías de arriesgar tu vida por una mentira? No lo hagas, César, vayámonos de aquí, a vivir en paz.

CESAR.—Te dije: Todo, contigo. ¿Lo recuerdas? Hablas de una mentira. ¿Cuál?

ELENA.—¿No lo sabes?

CESAR.—Es que ya no hay mentira: fue necesaria al principio, para que de ella saliera la verdad. Pero ya me he vuelto verdadero, cierto, ¿entiendes? Ahora siento como si fuera el otro... haré todo lo que él hubiera podido hacer, y más. Ganaré el plebiscito... seré gobernador, seré presidente tal vez...

ELENA.—Pero no serás tú.

CESAR.—¿Es decir que no crees en mí todavía? Precisamente seré yo, más que nunca. Sólo los demás creerán que soy otro. Siempre me pregunté antes por qué el destino me había excluido de su juego, por qué nunca me utilizaba para nada: era como no existir. Ahora lo hace. No puedo quejarme. Estoy viviendo como había soñado siempre. A veces tengo que verme en el espejo para creerlo.

ELENA.—No es el destino, César, sino tú, tus ambiciones. ¿Para qué quieres el poder?

CESAR.—Te sorprendería saberlo. No haré más daño que otro, y quizás haré algún bien. Es mi oportunidad y debo aprovecharla. Julia parecerá bonita... ya ahora lo parece, cuando me mira; será cortejada por todos los hombres. Miguel podrá hacer algo brillante, amplio, si quiere. Tú... *(la abraza)* será como si te hubieras vuelto a casar, con un hombre enteramente nuevo... llevarás la vida que escojas. Tendrás, al fin, todo lo que quieras.

ELENA.—Yo no quiero nada. Te suplico que no vayas a ese plebiscito.

CESAR.—No podría dejar de ir más que muerto. Ahora todo está empezado y todo tiene que acabar. No puedo hacer nada más que seguir, Elena; soy el eje en la rueda. Pero siento que el muerto no es César Rubio, sino yo, el que era yo... ¿entiendes? Todo aquel lastre, aquella inercia, aquel fracaso que era yo. Dime que entiendes... y espérame. *(La abraza, la besa y se cala el sombrero)*

ELENA.—Por última vez, César. ¡No vayas!

CESAR.—¿De qué tienes miedo?

ELENA.—No te lo diré: podría yo atraerte el mal así.

CESAR.—*(Sonriendo)* Hasta dentro de un rato, Elena. Cuando vuelva, serás la señora gobernadora. *(La mira un momento, y sale. Dentro, lo acoge un vocerío entusiasta. Elena permanece en el sitio, mirando hacia la puerta. De pronto César reaparece)* Es bueno que hables con Miguel. Es la única inquietud que me llevo: estuvo muy extraño hace un rato; me parece que sabe algo. Tranquilízalo, Elena, es mi hijo. *(Hace un saludo final con la mano y se va)*

Elena sola va hacia el cartel. Lo mira pensativa-

mente un momento. Se oye a Miguel en la escalera. Elena se vuelve.

MIGUEL.—Mamá, tengo que hablarte.

ELENA.—Tengo una inquietud tan grande por tu padre, hijo. No viviré hasta que regrese.

MIGUEL.—Si triunfa, cuando regrese yo empezaré a dejar de vivir.

ELENA.—¿Por qué dices eso?

MIGUEL.—*(Brutal)* ¿Por qué ha hecho esto mi padre?

ELENA.—*(Sentándose en el sofá)* ¿Hecho qué?

MIGUEL.—Esta mentira. . . esta impostura.

ELENA.—¿Qué dices?

MIGUEL.—Sé que no es César Rubio. ¿Por qué tuvo que mentir?

ELENA.—Podría decirte que no ha mentido.

MIGUEL.—Podrías, en efecto. ¿Y qué? No me convencerías después de lo que he oído.

ELENA.—¿Qué es lo que has oído, Miguel?

MIGUEL.—La verdad. Se la oí decir a Navarro.

ELENA.—¡Un enemigo de tu padre! ¿Cómo pudiste creerlo?

MIGUEL.—También se lo oí decir a otro enemigo de mi padre. . . al peor de todos. A él mismo.

ELENA.—¿Cuándo?

MIGUEL.—Hace un momento, cuando discutía con Navarro. Miente ahora tú también si quieres.

ELENA.—¡Miguel!

MIGUEL.—¿Cómo voy a juzgar a mi padre. . . y a ti. . . después de esto?

ELENA.—*(Reaccionando con energía)* ¿A juzgarnos? ¿Y desde cuándo juzgan los hijos a sus padres?

MIGUEL.—Quiero, necesito saber por qué hizo esto. Mientras no lo sepa no estaré tranquilo.

ELENA.—Cuando tú naciste, tu padre me dijo: Todo lo que yo no he podido ser, lo que no he podido hacer, todo lo que a mí me ha fallado, mi hijo lo será y lo hará.

MIGUEL.—Eso es el pasado. No vayas a decirme ahora que mintió por mí, para que yo hiciera algo.

ELENA.—Es el presente, Miguel. Examínate y júzgate, a ver si has correspondido a sus ilusiones.

MIGUEL.—¿Ha respetado él las mías? Todavía al llegar a esta casa le pedí que no fuera a hacer nada deshonesto, nada sucio. Tenía yo derecho a pedírselo, y él lo prometió.

ELENA.—Nada sucio, nada deshonesto ha hecho.

MIGUEL.—¿Te parece poco? Robar la personalidad de otro hombre, apoyarse en ella para satisfacer sus ambiciones personales.

ELENA.—Todavía hace un momento se preocupaba por ti; pensaba que a su triunfo tú podrías hacer lo que quisieras en la vida. ¿Es así como le pagas?

MIGUEL.—Lo que no quiero es su triunfo... no tiene derecho a triunfar con el nombre de otro.

ELENA.—Toda su vida ha deseado hacer algo grande... no sólo para él, sino para mí, para ustedes.

MIGUEL.—¿Entonces por eso lo justificas? ¿Porque te dará dinero y comodidades?

ELENA.—No conoces a tu madre, Miguel. Tu padre no perjudica a nadie. El otro hombre ha muerto, y él puede hacer mucho bien en su nombre. Es honrado.

MIGUEL.—¡No! No es honrado, y eso es lo que me lastima en esto. En la miseria, yo le hubiera ayudado... lo hubiera hecho todo por él. Así... no quiero volver a verlo.

ELENA.—(Asustada) Eso es odio, Miguel.

MIGUEL.—¿Qué esperabas que fuera?

ELENA.—No puedes odiar a tu padre.

MIGUEL.—He hecho todos los esfuerzos. . . primero contra la mediocridad, contra la mentira mediocre de nuestra vida. Toda mi infancia, gastada en proteger una apariencia de cosas que no existían. Luego en la universidad, mientras él defendía el cascarón, la mentira. . .

ELENA.—¡Miguel! ¿Te olvidas de que tú. . .?

MIGUEL.—No. Pero ahora esto. Es demasiado ya. Con razón me sentía yo inquieto, incómodo, avergonzado, cada vez que oía los vivas, los aplausos, los discursos. Ha llegado a representar a la perfección todas las mentiras que odio, y esto es lo que ha hecho por mí, por su hijo. Nunca podré oír ya el nombre de César Rubio sin enrojecer de vergüenza.

ELENA.—*(Levantándose agitada)* No podría decirte cuánto me torturas, Miguel. Debe de haber algo descompuesto en ti para darte estos pensamientos.

MIGUEL.—¿Por qué hizo esto mi padre?

ELENA.—¿No has dicho tú mismo que por sus ambiciones, no has pensado ya que por las mías? ¿No has dicho que no creerás lo contrario de lo que crees ahora? No tengo nada que decirte, porque no lo comprenderías. No te reconozco, eso es todo. . . no puedo creer que seas el mismo que llevé en mí.

MIGUEL.—Mamá, ¿no comprendes tú tampoco, entonces?

ELENA.—Comprendo que te llevaba todavía en mí, que seguías en mi vientre, y que de pronto te arrancas de él.

MIGUEL.—¿No te das cuenta de que quiero la verdad para vivir; de que tengo hambre y sed de verdad, de que no puedo respirar ya en esta atmósfera de mentira?

ELENA.—Estás enfermo.

MIGUEL.—Es una enfermedad terrible, no creas que no lo sé. Tú puedes curarme... tú puedes explicarme...

ELENA.—*(Lo mira con una gran piedad)* Siéntate, Miguel. *(Ella se sienta en el sofá; él a sus pies)*

MIGUEL.—*(Mientras se sienta)* ¿Qué podrás decirme que borre lo que oí decir a mi propio padre?

ELENA.—Puedo decirte que tu padre no mintió.

MIGUEL.—*(Irguiendo violentamente la cabeza)* Si tú mientes, mamá, se me habrá acabado todo.

ELENA.—*(Enérgica)* Tu padre no mintió. El nunca dijo a nadie: Yo soy el general César Rubio. A nadie... ni siquiera a Bolton. El lo creyó, y tu padre lo dejó creerlo; le vendió papeles auténticos para tener dinero con que llevarnos a todos nosotros a una vida más feliz.

MIGUEL.—Pero me había prometido... No puedo creerlo.

ELENA.—¿No estuviste tú aquí la tarde que vinieron los políticos? ¿Le oíste decir una sola vez que él fuera el general César Rubio? *(Miguel mueve la cabeza en silencio)* Entonces, ¿por qué lo acusas? ¿Por qué has dicho todas esas horribles cosas?

MIGUEL.—*(Nuevamente apasionado)* ¿Por qué aceptó entonces toda esta farsa, por qué no se opuso a ella? No dijo: Yo soy el general César Rubio, pero tampoco dijo que no lo fuera. ¡Y era tan fácil! Una palabra... y ha ido más lejos aún... ha llegado a engañarse, a creer que es un general, un héroe... Es ridículo. ¿Cómo pudo...? Si yo tuviera un hijo le daría la verdad como leche, como aire.

ELENA.—Si tuvieras un hijo, lo harías desgraciado. Ya te he dicho por qué aceptó tu padre. Hará bien en el gobierno, es su oportunidad, la cosa que él había soñado siempre; podrá dar a sus hijos lo que no tuvieron antes. ¿Qué harías tú, en su lugar, si tus hijos te creyeran un fracaso, y se te presentara la ocasión de hacer algo... grande?

MIGUEL.—Nada es más grande que la verdad. Mi padre gobernará en lugar de los bandidos... él mismo lo dijo; pero esos bandidos por lo menos son ellos mismos, no el fantasma de un muerto.

ELENA.—No tomó su nombre siquiera... se llamaban igual, nacieron en el mismo pueblo...

MIGUEL.—No... no... así no. Lo prefería yo cuando estuvo frente a mí en la universidad.

ELENA.—Eres tan joven, Miguel. Tus juicios, tus ideas, son violentos y duros. Los lanzas como piedras y se deshacen como espuma. Antes, en la universidad, acusabas a tu padre de ser un fracasado; ahora...

MIGUEL.—Era mejor aquello. Todo era mejor que esto. Ahora lo veo.

Julia entra por la izquierda. Visiblemente ha estado oyendo parte de esta conversación. Miguel se levanta y va hacia la ventana.

JULIA.—¿Qué pasa, mamá?

ELENA.—Nada.

JULIA.—No me lo niegues.

MIGUEL.—*(Volviéndose, sin dejar la ventana)* Has estado oyendo, ¿verdad? Escondida en la escalera...

JULIA.—Así oíste tú lo que no debías oír: la conversación entre papá y Navarro. Te vi desde arriba. ¿Por qué no saliste entonces? ¿Por qué no te atreviste a decirle esas cosas a papá, frente a frente?

ELENA.—¡Julia!

JULIA.—Para mí, como quiera que sea, papá será siempre un hombre extraordinario... un héroe. Si lo hubieras observado en estos días, dando órdenes, hablando al pueblo, sometiendo a los jefes, habrías visto que nació para esto. Tuvo que esperar mucho tiempo, pero merecía tener esta ocasión de. . .

MIGUEL.—Eres mujer. ¿Cómo no había de despertar tus peores instintos el truco del héroe? Eso es lo que te tiene seducida. Si no lo observé a él, era porque te observaba a ti. Para quien no supiera que eras su hija, pudiste pasar por una enamorada de él. Y además, claro, su heroísmo te dará lo que has deseado siempre: trajes, joyas, automóviles.

ELENA.—¡Miguel, te prohibo. . . !

JULIA.—Pero si lo que habla en ti es la inferioridad, la envidia. . .

MIGUEL.—¡Yo no he mentido!

JULIA.—El era un buen profesor, tú, un mal estudiante. Ahora, en el fondo, querrías estar en su lugar, ser tú el héroe. Pero te falta mucho.

MIGUEL.—¡Estúpida! ¿No comprendes entonces lo que es la verdad? No podrías. . . eres mujer; necesitas de la mentira para vivir. Eres tan estúpida como si fueras bonita.

ELENA.—*(Interponiéndose entre ellos)* ¡Basta, Miguel!

JULIA.—No creas que me lastimas con eso. ¿Qué es mi fealdad junto a tu cobardía? Porque tu afán de tocar la verdad no es más que una cosa enfermiza, una pasión de cobarde. La verdad está dentro, no fuera de uno.

ELENA.—¡Julia!

MIGUEL.—Créelo así, si quieres. Yo seguiré buscando la verdad.

Pausa. Julia va hacia la mesa, toma los telegramas y los lee uno por uno, con satisfacción. Elena se sienta.

Miguel, clavado ante la ventana, mira hacia afuera.

JULIA.—Mira, mamá, del Presidente. *(Se lo lleva)*

ELENA.—*(Toma el telegrama, pero no lo mira)* Miguel. . .

MIGUEL.—¿Mamá?

ELENA.—¿Oíste toda la conversación con Navarro?

MIGUEL.—Casi toda.

ELENA.—Entonces debes decirme. . .

MIGUEL.—No recuerdo nada. . . la verdad que lo que oí me llenó los oídos de tal modo que no pude oír otra cosa ya.

ELENA.—¿Amenazó Navarro a tu padre?

MIGUEL.—Supongo que sí.

ELENA.—Recuerda. . . es necesario que recuerdes. Nunca he estado tan inquieta por él. ¿Qué dijo? ¿En qué forma lo amenazó?

MIGUEL.—¿Qué importancia tiene? Mi padre no puede perder ahora.

ELENA.—¡Miguel! Por favor, piensa, hazlo por mí.

MIGUEL.—*(Después de una pausa)* Ahora recuerdo. Al despedirse, Navarro dijo. . . sí: "Tú solo te has sentenciado. . . Será como tú lo has querido".

ELENA.—*(Levantándose)* Miguel, tu padre está en peligro, y tú lo sabías y te has quedado aquí a decir esas cosas de él. . .

MIGUEL.—*(Adelantando un paso)* ¿No te das cuenta de cómo me sentía yo. . . de cómo me siento?

ELENA.—¡Tu padre está en peligro!

MIGUEL.—¿No lo buscó él? ¿No mintió?

ELENA.—Debes ir pronto, Miguel. Debes cuidarlo. *Miguel vacila.*

JULIA.—No se atreve, mamá, eso es todo. Iré yo.

ELENA.—Yo lo sentía, lo sentía. *(Se oprime las manos)* Navarro va a tratar de matarlo.

Julia corre hacia la puerta, a la vez que:

MiGUEL.—*(Reaccionando bruscamente)* Tienes razón, mamá. Perdóname por todo. Iré... trataré de cuidarlo; pero después... Seremos mi padre y yo, frente a frente. *(Sale corriendo)*

JULIA.—No pasará nada, mamá. ¡Tengo tanta confianza en él ahora!

ELENA.—No sé... no sé. En el fondo, Miguel...

JULIA.—Miguel está loco, mamá... busca la verdad con fanatismo, como si no existiera. No le hagas caso.

ELENA.—Está en un estado tal... Y tú también. Todas estas cosas que se han dicho ustedes dos...

JULIA.—*(Con una sonrisa)* Así era de niño, mamá. Y así era como Miguel se decidía a pelear, para demostrarme que no era un cobarde.

ELENA.—Has sido tan dura...

JULIA.—Pero a nadie más le dejaría yo decirle eso.

ELENA.—No sé... no sé... *(Un poco hipnotizada por la inquietud)* ¿Qué hora es?

JULIA.—Mediodía, mamá. Fíjate en el sol. Ahora ya puedo saber la hora por el sol.

Elena, un poco sonámbula, va hacia la ventana. Allí abre los brazos de modo que toque los dos extremos del marco, y con la cabeza echada hacia atrás mira intensamente hacia afuera. Julia sigue leyendo telegramas y subrayando su interés con pequeños gestos de satisfacción. Elena parece una estatua. Julia la mira.

JULIA.—Tranquilízate, mamá, por favor. Dentro de poco estará aquí y seremos otros... Hasta Miguel.

ELENA.—*(Sin volverse)* No puedo. Hace un momento sentí el sol como un golpe en el pecho.

JULIA.—Hazlo por él. No le gustaría verte así.

ELENA.—Miguel tiene razón. Nada bueno puede salir de una mentira. Y, sin embargo, yo no he podido detener a César.

JULIA.—No hay mentira, mamá. Todo el pasado fue un sueño, y esto es real. No me importan los trajes ni las joyas, como cree Miguel, sino el aire en que viviremos. El aire del poder de mi padre. Será como vivir en el piso más alto, de aquí, primero; de todo México después. Tú no lo has oído hablar en los mitines, no sabes todo lo que puede dar él, que fue tan pobre. Y todo lo que puede tener.

ELENA.—Yo no quiero nada, hija mía, sino que él viva. Y tengo miedo.

JULIA.—Yo no; es como la luz, para mí. Todos pueden verlo, nadie puede tocarlo. Y será lindo, mamá, poder hacer todas las cosas, pensarlas con alas; no como antes, que todos los deseos, todos los sueños, parecían reptiles encerrados en mí.

ELENA.—*(Se sienta)* Quizá piensas en tu amor, y hablas así por eso. ¿Esperas que ese muchacho te quiera viéndote tan alta? Yo no lo aceptaría entonces: sería interés.

JULIA.—Yo no lo quiero ya, mamá. Lo sé desde hace dos semanas. Lo que amaba yo en él era lo que no tenía a mi alrededor ni en mí. Pero ahora lo tengo, y él no importa. Tendré que buscar en otro hombre las otras cosas que no tenga. Querer es completarse.

ELENA.—Tengo miedo, Julia. Todas estas semanas, mientras César iba y venía por el Estado, yo pensaba en la noche que el hombre a quien yo quise ha desaparecido, y que hay otro hombre, formándose apenas, a quien yo no quiero todavía. Si eligen a César. . .

124

JULIA.—Está elegido ya, mamá, ¿no lo ves? Un elegido.

ELENA.—Si eligen a César, será el gobernador. Lo rodeará gente a todas horas que lo ayudará a vestirse y lo alejará de mí. Tendrá tanta ropa que no podrá sentir cariño ya por ninguna prenda... y yo no tendré ya que remendar, que mantener vivas sus camisas ni que quitar las manchas de su traje. De un modo o de otro, será como si me lo hubieran matado. Y yo quiero que viva. *(Se levanta violentamente)* Es preciso que no lo elijan, Julia, es preciso.

JULIA.—¿Estás loca? ¿No comprendes todo lo que esto significa para todos? ¿No has sentido nunca deseos de vivir en la luz? Será una vida nueva para todos.

ELENA.—Hablas como él.

JULIA.—Yo prepararé su ropa cada mañana, en tal forma que no pueda tocar su corbata ni sentir su traje sobre su cuerpo sin tocarme, sin sentirme a mí. Contigo consultará sus cosas, sus planes, sus decisiones, y cuando las realice te estará viendo y tocando.

ELENA.—No me ha hecho caso ahora... no ha querido hacerme caso. ¿Por qué? ¿Por qué? No. Que lo derroten, aunque lo denuncien... que se burle de él y de su mentira toda la gente. Miguel tiene razón. Que lo injurien, que lo escupan...

JULIA.—¡No hables así! ¿Por qué hablas así?

ELENA.—Yo lo consolaré de todo. Quiero que viva.

JULIA.—Quieres que muera.

ELENA.—Quiero que muera el fantasma y que viva él; que muera su muerte natural, propia. Que viva. *(Pausa. En el silencio del mediodía se oye un claxon de automóvil, bastante próximo. Elena se sobresalta)* ¡Un coche!

JULIA.—*(Corriendo a la ventana, desde allí)* Son Guzmán y Miguel, mamá.

ELENA.—¿Vienen otros coches?

Julia no contesta. Elena queda inmóvil en el centro mirando hacia la puerta. Julia se reúne con ella. Entran Miguel y Guzmán.

ELENA.—Miguel. . . *(Espera. Miguel baja la cabeza en silencio)*

JULIA.—¿Qué ha pasado?

GUZMAN.—*(Jadeante)* Señora. . .

ELENA.—¿Han. . . herido a César? *(Guzmán baja la cabeza)* No. . . Lo han matado, ¿verdad?

GUZMAN.—Encontré al muchacho en el camino, señora, corriendo. Ya era tarde.

ELENA.—*(Contenida)* ¿Cómo fue? ¿Navarro?

GUZMAN.—Para mí, fue él, señora. Pero allí mataron al que disparó. Bastó un tiro. Apenas acabábamos de llegar, y el general iba a sentarse cuando. . . En el corazón.

JULIA.—Mamá. . .

Le agarra las manos. Es un dolor incrédulo el de las dos, que va desenvolviéndose y afirmándose poco a poco.

ELENA.—¿Dice usted que mataron al hombre que disparó?

GUZMAN.—El pueblo lo hizo pedazos, señora.

Ruido de automóviles dentro.

ELENA.—*(Lenta, con voz blanca)* Pedazos.

Se vuelve hacia la pared, muy erguida. Julia llora sin extremos, nada más bajando la cabeza y dejando correr sus lágrimas. Miguel se deja caer en un asiento. Ahora se oyen voces. En el umbral de la puerta aparece Navarro.

GUZMAN.—¡Tú! ¿Cómo te atreves. . .?

NAVARRO.—*(Avanzando)* Señora, permítame presentarle mis condolencias más sinceras. Su marido ha sido víctima de un cobarde asesinato.

Miguel, pasando por detrás de ellos, cierra la puerta.

GUZMAN.—Y tan cobarde. Creo que yo tengo idea de quién es el asesino.

MIGUEL.—*(En primer término derecha)* Yo también.

NAVARRO.—*(Imperturbable)* El asesino de César Rubio, señora, fue un fanático católico.

GUZMAN.—¡Fuiste tú!

NAVARRO.—Fue un fanático, como puede probarse. En su cuerpo se encontraron un crucifijo y varios escapularios.

GUZMAN.—No tiene caso calumniar a nadie. Sabemos de sobra. . .

ELENA.—*(De hielo)* Váyase usted, general Navarro. No sé cómo se atreve a presentarse aquí, después de. . .

La interrumpe un tumulto creciente, afuera. Las voces se multiplican en un rumor de tormenta. Navarro se inclina, se dirige a la puerta, la abre y sale después de una mirada a la familia. Se escucha un rumor hostil. Luego, cada vez más distintamente, la voz de Navarro que grita:

LA VOZ DE NAVARRO.—¡Camaradas! He venido a decir a la viuda de César Rubio mi indignación ante el vil asesinato de su marido. Aunque hay pruebas de que el asesino fue un católico, no falta quien se atreva a acusarme. *(Murmullo hostil. Guzmán va a la puerta y sale)* Estoy dispuesto a defenderme ante los tribunales y a renunciar a mi candidatura hasta que se pruebe mi inocencia. . .

LA VOZ DE GUZMAN.—¡Mentira! ¡Mentira! ¡Fue él y todos lo sabemos!

Murmullo hostil, pero indefinible.

LA VOZ DE NAVARRO.—No contestaré. César Rubio ha caído a manos de la reacción en defensa de los ideales revolucionarios. Yo lo admiraba. Iba a ese plebiscito dispuesto a renunciar en su favor, porque él era el gobernante que necesitábamos. *(Murmullo de aprobación)* Pero si soy electo, haré de la memoria de César Rubio, mártir de la revolución, víctima de las conspiraciones de los fanáticos y los reaccionarios, la más venerada de todas. Siempre lo admiré como a un gran jefe. La capital del Estado llevará su nombre, le levantaremos una universidad, un monumento que recuerde a las futuras generaciones... *(Lo interrumpe un clamor de aprobación)* ¡Y la viuda y los hijos de César Rubio vivirán como si él fuera gobernador! *(Aplausos sofocados)*

ELENA.—*(Agitando una mano como quebrada)* Cierra, Miguel. Las puertas, las ventanas, ciérralo todo.

MIGUEL.—No, mamá. Todo el mundo debe saber, sabrá... No podría yo seguir viviendo como el hijo de un fantasma.

ELENA.—*(Deshecha)* Cierra, Julia. Todo se ha acabado ya.

Julia, vencida, se dirige a cerrar la ventana primero, luego la puerta. Penumbra. El rumor exterior se hace menos perceptible.

MIGUEL.—¡Mamá! *(Solloza sin ruido)*

ELENA.—Ese es otro hombre. El nuestro... *(No puede seguir. Llaman a la puerta)* No abras, Julia.

Tocan nuevamente. Miguel abre con lentitud. Entra Estrella; Salinas y Guzmán tras él.

ESTRELLA.—*(Solemne, con esa especie de alegría*

de serlo que acompaña a los demagogos) Señora, el señor Presidente ha sido informado ya de este triste suceso. *(Miguel, vuelto hacia ellos, escucha)* El cuerpo del señor general Rubio será velado en el palacio de gobierno. Vengo para llevarlos a ustedes allí. Se le tributarán honores locales de gobernador; pero, además, considerando que se trata de un divisionario y de un gran héroe, su cuerpo recibirá honores presidenciales y reposará en la Rotonda de los Hombres Ilustres. Usted, señora, tendrá la pensión que le corresponde. El gobierno revolucionario no olvidará a la familia de su héroe más alto.

ELENA.—Gracias. No quiero nada de eso. Quiero el cuerpo de mi marido. Iré por él. *(Camina hacia la puerta. Julia la sigue)* Tú quédate.

JULIA.—Mamá, iremos todos. Y se le harán los honores. *(Elena la mira)* ¿No comprendes?

SALINAS.—No entiendo, señora. . .

ESTRELLA.—César Rubio pertenece al pueblo, señora.

GUZMAN.—*(Detrás de ellos, sañudo)* Nos pertenece a nosotros para siempre.

JULIA.—¿No comprendes, mamá? El será mi belleza.

Elena hace un esfuerzo para hablar, sin lograrlo. Agita un poco una mano. Estrella la toma del brazo. Salen. Miguel queda inmóvil en la escena. Los murmullos y las voces desaparecen en un silencioso homenaje a la viuda. Después de un momento entra Navarro.

MIGUEL.—¿Usted? Tengo que aclarar algo, primero con usted, luego con todo el mundo.

NAVARRO.—*(Brutal)* ¿Qué es lo que sabe usted?

MIGUEL.—Sé que usted mató a mi padre. *(Con una violencia incontenible)* Lo sé. ¡Oí su conversación!

NAVARRO.—*(Estremecido)* ¿Sí? *(Se sobrepone)* Oiga usted lo que dice el pueblo que presenció los acontecimientos, joven. El asesino fue un católico: puedo probarlo. Mis propias gentes trataron de aprehenderlo.

MIGUEL.—Y para mayor seguridad, lo mataron. Para borrar todas las pruebas. Mató usted a mi padre y a su asesino material, como mató usted a César Rubio. ¡Lo oí todo!

NAVARRO.—*(Turbado y descompuesto)* Su dolor no lo deja... *(Desafiante de pronto)* ¡No podría usted probar nada!

MIGUEL.—Eso no puedo remediarlo ya. Pero no voy a permitir esta burla: la ciudad César Rubio, la universidad, la pensión. ¡Usted sabe muy bien que mi padre no era César Rubio!

NAVARRO.—¿Está usted loco? Su padre *era* César Rubio. ¿Cómo va usted a luchar contra un pueblo entero convencido de ello? Yo mismo no luché.

MIGUEL.—Usted mató. ¿Era más fácil?

NAVARRO.—Su padre fue un héroe que merece recordación y respeto a su memoria.

MIGUEL.—No dejaré perpetuarse una mentira semejante. Diré la verdad ahora mismo.

NAVARRO.—Cuando se calme usted, joven, comprenderá cuál es su verdadero deber. Lo comprendo yo, que fui enemigo político de su padre. Todo aquel que derrama su sangre por su país es un héroe. Y México necesita de sus héroes para vivir. Su padre es un mártir de la revolución.

MIGUEL.—¡Es usted repugnante! Y hace de México un vampiro... pero no es eso lo que me importa... es la verdad, y la diré, la gritaré.

NAVARRO.—*(Se lleva la mano a la pistola. Miguel*

lo mira con desafío. Navarro reflexiona y ríe) Nadie lo creerá. Si insiste usted en sus desvaríos, haré que lo manden a un sanatorio.

MIGUEL.—*(Con una frialdad terrible)* Sí, sería usted capaz de eso. Aunque me cueste la vida. . .

NAVARRO.—Se reirán de usted. No podría usted quitarle al pueblo lo que es suyo. Si habla usted en la calle, lo tomarán por loco. *(Saluda irónicamente el cartel de César Rubio)* Su padre era un gran héroe.

MIGUEL.—Encontraré pruebas de que él no era un héroe y de que usted es un asesino.

NAVARRO.—*(En la puerta)* ¿Cuáles? Habrá que probar una cosa u otra. Si dice usted que soy un asesino, gente mal intencionada podría creerlo; pero como también piensa usted decir que su padre era un farsante, nadie lo creerá ya. Es usted mi mejor defensor, y su padre era grande, muchacho. Le debo mi elección.

Sale. Se oye un clamor confuso afuera. Luego, voces que gritan: ¡Viva Navarro!

LA VOZ DE NAVARRO.—¡No, no, muchachos! ¡Viva César Rubio!

Un "viva César Rubio" clamoroso se deja oír. Miguel hace un movimiento hacia la puerta; luego sale rápidamente por la izquierda. Ruido de voces y automóviles en marcha, afuera. Pequeña pausa, al cabo de la cual Miguel reaparece llevando una pequeña maleta. Se dirige a la puerta derecha. De allí se vuelve, descuelga el cartel con la imagen de César Rubio, después de dejar su maleta en el suelo. Dobla el cartel quietamente, y lo coloca sobre el escritorio. Luego empuja con el pie el rollo de carteles, que se abre como un abanico en una múltiple imagen de César Rubio.

MIGUEL.—¡La verdad!

Se cubre un momento la cara con las manos y pa-

rece que va a abandonarse, pero se yergue. Entonces toma, desesperado, su maleta. En la puerta se cerciora de que no queda nadie afuera. El sol es cegador. Miguel sale, huyendo de la sombra misma de César Rubio, que lo perseguirá toda su vida.
TELON

APOSTILLA

Aparte de cortes menores, en la representación fue suprimido el regreso de César Rubio (ver p. 115), quedando eliminada la frase: "Es bueno que hables con Miguel. Es la única inquietud que me llevo: estuvo muy extraño hace un rato; me parece que sabe algo. Tranquilízalo, Elena". *Sin embargo, para no prescindir del movimiento psicológico implícito en este parlamento, el segundo que pronuncia César Rubio en su escena con Elena (ver p. 115, línea 30) quedó modificado como sigue:* "...Miguel... es la única inquietud que me llevo: creo que sabe algo, tranquilízalo. Miguel podrá hacer algo brillante, amplio, si quiere", etcétera.

Las escenas finales del tercer acto, aunque fueron representadas a la letra fuera de cortes mínimos, pueden ganar en concisión y en intensidad por medio de la refundición siguiente (a partir de la p. 126, treceavo parlamento):

ELENA.—*(Lenta, con voz blanca)* Pedazos. *(Se vuelve hacia la puerta, muy erguida. Julia llora sin extremos, nada más bajando la cabeza y dejando correr sus lágrimas. Miguel se deja caer en un asiento)*

Se oye un tumulto hostil afuera y, dominándolo:

LA VOZ DE NAVARRO.—¡Camaradas! Vengo a decir a la viuda de César Rubio mi indignación ante el vil asesinato de su marido.

GUZMAN.—¡Navarro! ¿Cómo se atreve...? *(Sale con violencia dejando la puerta abierta)*

LA VOZ DE NAVARRO.—Hay pruebas de que el asesino fue un católico. En su cuerpo se encontraron un crucifijo y varios escapularios...

LA VOZ DE GUZMAN.—¡Mentira! ¡Mentira! ¡Fue él y todos lo sabemos!

Murmullo hostil pero indefinible.

LA VOZ DE NAVARRO.—No contestaré. Estoy dispuesto a responder ante los tribunales y a renunciar a mi candidatura hasta probar mi inocencia. César Rubio ha caído a manos de la reacción en defensa de los ideales revolucionarios. Yo lo admiraba. Iba a ese plebiscito para renunciar en su favor porque él era el gobernante que necesitábamos. *(Murmullo de aprobación)* Si soy electo, haré de su memoria la más venerada de todas porque era un gran jefe. La capital del Estado llevará su nombre, le levantaremos una universidad, un monumento que recuerde a las generaciones futuras... *(Lo interrumpe un clamor de aprobación)*

ELENA.—*(Agitando una mano como quebrada)* Cierra, Miguel, las puertas, las ventanas, ciérralo todo.

MIGUEL.—*(Yendo hacia la puerta)* No, mamá. Todo el mundo debe saber, sabrá... No permitiré esta burla: la ciudad César Rubio, la universidad, ¡no!

ELENA.—*(Deshecha)* Cierra, Julia. Todo se ha acabado ya.

Julia se dirige pasivamente a cerrar la ventana. Miguel, vencido por la voz de su madre, se detiene ante la puerta y, al fin, la cierra. Penumbra. El rumor exterior se hace menos perceptible.

MIGUEL.—¡Mamá! *(Solloza sin ruido)*

ELENA.—Ese es otro hombre. El nuestro... *(No puede seguir. Llaman a la puerta)* No abras, Julia.

Tocan nuevamente. Miguel abre. Entra Navarro. Tras él, Guzmán.

NAVARRO.—*(Avanzando bajo la mirada fija, lenta e indefinible de Miguel)* Señora, permítame presentarle mis condolencias más sinceras. Su marido ha sido víctima de un cobarde asesinato.

GUZMAN.—Y tan cobarde. Yo sé que fuiste tú.

MIGUEL.—*(En primer término derecha, entre Navarro y la puerta)* Yo también.

NAVARRO.—*(Imperturbable)* El asesino de César Rubio fue un fanático católico.

ELENA.—*(De hielo)* Váyase usted, general Navarro. No sé cómo se atreve a presentarse aquí después de...

La interrumpe el abrirse de la puerta. Entran Estrella y Salinas, al mismo tiempo que Navarro, que iba a salir y que retrocede para dejarlos entrar, se borra insensiblemente al fondo, en el comedor.

ESTRELLA.—*(Solemne, con esa especie de alegría de serlo que acompaña a los demagogos)* Señora, el señor Presidente de la República ha sido informado de este triste suceso. El cuerpo del señor general Rubio será velado en el palacio de gobierno; pero, considerando que se trata de un divisionario y de un gran héroe, recibirá honores presidenciales y reposará en la Rotonda de los Hombres Ilustres. Usted, señora, tendrá la pensión que le corresponde. El gobierno revolucionario no olvidará a la familia de su héroe más alto.

ELENA.—Gracias. No quiero nada de eso. Quiero

el cuerpo de mi marido. Iré por él. (*Camina hacia la puerta. Julia la sigue*) Tú quédate.

SALINAS.—No entiendo, señora. . .

ESTRELLA.—César Rubio pertenece al pueblo, señora.

GUZMAN.—(*Detrás de ellos, sañudo*) Nos pertenece a nosotros para siempre.

JULIA.—Iremos todos, mamá, y se le harán los honores. ¿No comprendes? Eso (*muy bajo*) será mi belleza.

Elena hace un esfuerzo para hablar, sin lograrlo. Siente que ha perdido definitivamente al hombre que fue   yo: no tendrá ni su cuerpo. Agita un poco una mano y la deja caer. ¿Para qué hablar ya? Estrella la toma del brazo; Julia le pasa una mano por la cintura. Salen, seguidos por Guzmán y Salinas. El rumor exterior se apaga como un homenaje a la familia del héroe. Miguel permanece en escena, indeciso. Mira hacia la puerta y mueve la cabeza. Navarro sale del comedor y avanza hacia él.

NAVARRO.—¿Qué es lo que sabe usted?

MIGUEL.—(*Con una violencia incontenible*) Sé que usted mató a mi padre y a su asesino material como mató al verdadero César Rubio.

NAVARRO.—(*Desafiante*) No podría usted probar nada.

MIGUEL.—(*Cara a cara con él*) No lo mato porque quiero probar la verdad primero, y para eso tiene usted que vivir. Es usted un asesino y mi padre no era un héroe. Encontraré pruebas.

NAVARRO.—Si está usted loco, lo encerraremos. Todo aquel que derrama su sangre por su país es un héroe, y México necesita de sus héroes para vivir. Su padre fue un héroe y un mártir de la revolución.

MIGUEL.—Es usted repugnante y hace de México, de la revolución, un vampiro. Pero caerá usted. Yo diré, yo gritaré la verdad ahora mismo. *(Va a la puerta)*

NAVARRO.—*(Con una frialdad de muerte)* Se reirán de usted. Si dice que yo soy un asesino, gente mal intencionada podría creerlo; pero si jura que su padre era un farsante, nadie lo creerá ya. No se puede luchar contra la credulidad de un pueblo entero. Es usted mi mejor defensor, y su padre era grande, muchacho: le debo mi elección.

Aparta a Miguel de la puerta y sale. Se oye un clamor confuso afuera. Luego una voz que grita: ¡Viva Navarro!

LA VOZ DE NAVARRO.—No, no, muchachos. ¡Viva César Rubio!

Un ¡Viva César Rubio! clamoroso se deja oír.

Miguel hace un movimiento hacia la puerta, luego sale rápidamente por la izquierda. Ruido de voces y de automóviles en marcha, afuera. Breve pausa al cabo de la cual reaparece Miguel llevando una pequeña maleta. Se dirige hacia la puerta derecha. De allí se vuelve, descuelga el cartel con la imagen de César Rubio, después de posar su maleta en el suelo. Dobla el cartel quietamente y lo coloca sobre el escritorio. Luego empuja con el pie el rollo de carteles, que se abre como un abanico en una múltiple imagen de César Rubio.

MIGUEL.—¡La verdad! *(Se cubre un momento el rostro con las manos y parece a punto de abandonarse, pero se yergue. Entonces toma, desesperado, su maleta. En la puerta se cerciora de que no queda nadie afuera. El sol es cegador. Miguel sale, huyendo de la sombra misma de César Rubio, que lo perseguirá toda su vida)* TELON

César y Elena Rubio:
Alfredo Gómez de la Vega
y María Duglas.
Estreno mundial.
Palacio de Bellas Artes
México.

*un estado de gran dignidad, y los restos de su fortuna,
como ocurre casi siempre en estos casos, representan
una pequeña fortuna, en sí. La estructura del aparta-
miento es a base de arcos italianistas —una especie de
aprovechamiento moderno de la arquitectura del Re-
nacimiento. La puerta de entrada está en el ángulo iz-
quierdo del fondo, al cabo de un pequeño pasillo. Al
fondo centro, detrás de los arcos, hay tres pequeños
balcones que dan a una terraza minúscula. En primer
término izquierda, una puerta que lleva a las habitaciones de Bernardo y Ricardo. Cerca de la puerta, un
poco más arriba, hay una escalera que conduce a un
segundo piso donde están las habitaciones de Victoria
y Alejandro, constituyendo así una especie de aparta-
miento separado. En primer término derecha, un pasaje diagonal hacia el comedor. Más arriba, al centro de
la pared, una chimenea cubierta por un biombo. Al
fondo derecha, puerta que lleva a las habitaciones de
la Señora Rosas y Herminia. Estas tienen, a su vez,
una salida sobre el jardín del edificio. Pocos muebles,
pero amplios, cómodos y bien distribuidos. Cortinajes
y adornos en diferentes matices de azul entonados con
las paredes verde y crema. Sobre la chimenea, una
gran pintura de mediocre pincel que representa al
antepasado más importante de los Rosas, un filibus-
tero, por lo demás conservador furibundo, del 1840.
Dos o tres cuadros pequeños —pintura mexicana anóni-
ma del siglo XIX—, exquisitos. Entre ellos horripila una
copia del Blue Boy de Gainsborough, situado al fondo
entre dos de los balcones. Hay dos sofás, uno a la
izquierda en escorzo junto a la escalera, el otro a la
derecha; sillones, sillas, taburetes, mesillas, etcétera.
La impresión de comodidad que se desprende de todo
este interior es tan grande, que no se percibe a pri-*

*mera vista cierto desorden —cosas fuera de su sitio—,
objetos ajenos a una sala y olvidados en ella, como,
por ejemplo, una caja de papel de cartas abierta a
medias sobre una mesilla; un directorio telefónico sobre
uno de los sillones; un grabado con marco reclinado
en el asiento y contra el respaldo de una silla —sin
duda lo descolgaron para verlo de cerca— y un gran
martillo abandonado en un sofá, a veces sobre el cojín,
a veces debajo de él. Estos objetos permanecerán los
tres actos en su sitio o, mejor dicho, fuera de su sitio,
en los lugares señalados. Aparte de esto, llama la
atención el abundante número de ceniceros de todos
los tipos, cerca de todos los asientos y de todas las
mesas.*

ACTO PRIMERO

Adentro está sonando el teléfono. En escena están Bernardo y Ricardo, éste abandonado en la posición más cómoda del mundo sobre el sofá derecha, mientras su hermano está sentado sobre el brazo de arriba del sofá izquierda.

BERNARDO.—Tengo una idea.

RICARDO.—¡Espléndido! Ya estoy cansado de oír cosas inteligentes.

BERNARDO.—Te levantas y contestas el teléfono.

RICARDO.—¿Cuál teléfono?

BERNARDO.—El que está sonando.

RICARDO.—¿Hay un teléfono sonando?

BERNARDO.—Y si el que llama es el novio de Herminia, como me figuro, finges que eres ella. . .

RICARDO.—*(Incorporándose)* Empiezas a interesarme.

BERNARDO.—Y le dices que has decidido que el casamiento tenga lugar en un aeroplano.

RICARDO.—Yo no he decidido nada.

BERNARDO.—Es ella quien lo ha decidido. . . es decir, tú lo dirás así.

RICARDO.—Además, no veo la gracia.

BERNARDO.—No la tiene; pero tú imitas bastante bien la voz de Herminia; cuando se vean esta noche, tendrán otra discusión, y quizá se peleen para siempre. El padece el vértigo de la altura, ¿entiendes?; no puede subir a un segundo piso sin marearse. *(Deja de sonar el teléfono)*

RICARDO.—*(Volviendo a acomodarse)* No me interesa. Además, ya no suena el teléfono.

BERNARDO.—Es verdad. *(Pausa. La campanilla del teléfono vuelve a repiquetear)* Allí está otra vez. Hazlo.

RICARDO.—Poco a poco. ¿Por qué no vas tú y finges que eres el hermano mayor de Herminia, y le dices que no apruebas esas relaciones?

BERNARDO.—¿Qué quieres decir con *finges? Soy* el hermano mayor de Herminia y del tonto mayor del mundo.

RICARDO.—No me digas que eres al mismo tiempo tú y tu hermano mayor.

BERNARDO.—*(Fríamente)* Hablaba de ti, borrico.

RICARDO.—Si tanto te disgustan esas relaciones, ¿por qué no lo haces? *(Deja de llamar el teléfono)* Sería mejor.

BERNARDO.—Es igual. Ya dejó de llamar otra vez el teléfono.

RICARDO.—¡Extraño fenómeno! ¿Crees que volverá a sonar?

BERNARDO.—En estos tiempos de escepticismo científico es aventurado prever la recurrencia de un fenómeno.

RICARDO.—Sin embargo, de acuerdo con la teoría de la regularidad. . .

BERNARDO.—Eres un tonto. ¿Te gusta Guzmán?

RICARDO.—*(En farsa)* Bueno, te diré, yo personalmente los prefiero con bigote y barba.

BERNARDO.—Digo como novio de Herminia, como cuñado.

RICARDO.—¿Qué importancia puede tener un tonto más en la familia?

BERNARDO.—¿No temes la competencia?

VICTORIA.—*(Desde arriba)* ¿Sonó el teléfono, muchachos?

RICARDO.—¿Sonó el teléfono, Bernardo?

BERNARDO.—¿Cuál teléfono?

VICTORIA.—*(Bajando rápidamente)* ¿Cuándo podrán ustedes hablar en serio?

RICARDO.—Perdón, ¿qué decías?

VICTORIA.—Me pareció oír sonar el teléfono.

BERNARDO.—No.

RICARDO.—No engañes a tu hermana mayor; hermano mayor.

VICTORIA.—Son ustedes desesperantes.

BERNARDO.—Dijiste: ¿Sonó el teléfono? Ricardo preguntó: ¿Qué decías? Dijiste: Me pareció oír sonar el teléfono. Yo dije: No. Quiero decir que no era eso lo que decías primero.

RICARDO.—Lo interesante ahora... lo que en realidad nos preocupa, querida Victoria, es saber si volverá a sonar el teléfono.

VICTORIA.—¿Cuál teléfono...?

BERNARDO.—¿Tú también?

RICARDO.—Quiero decir que no podemos afirmar categóricamente la existencia de ese teléfono si no vuelve a sonar.

VICTORIA.—¿Cuál teléfono era... el Ericsson o el Mexicana?

BERNARDO.—El Ericsson, naturalmente.

RICARDO.—Perdóname, pero era el Mexicana. Hay una diferencia fundamental en el sonido.

VICTORIA.—¡Bernardo! ¡Ricardo! Hablo en serio. Si fue el Mexicana, era mi marido quien llamaba.

RICARDO.—La llamada del instinto.

BERNARDO.—Si fue el Ericsson, era el señor Guzmán, tu noble cuñado.

VICTORIA.—No me gusta que hagas bromas de esas cosas. *(Mira su reloj)* ¿Cuál teléfono sonó por fin?

RICARDO.—El Mexicana.
BERNARDO.—El Ericsson. } *Simultáneamente.*

Los teléfonos se ponen a sonar furiosamente dentro.

BERNARDO.—¿Ya lo ves?
RICARDO.—¿Ya lo ves? } *Simultáneamente.*

VICTORIA.—*(Dirigiéndose a la puerta primer término izquierda)* Bueno, contesten uno siquiera; yo no puedo atender los dos.

BERNARDO.—¿Tú crees que no pueda encargarse de los dos teléfonos? Tiene dos manos.

RICARDO.—Y dos orejas.

VICTORIA.—*(Dentro)* ¿Bueno? ¿Eres tú, Alex? Un segundo, por favor. ¡Ricardo! ¡Bernardo! ¡El otro teléfono!

BERNARDO.—Anda, contesta tú.

RICARDO.—De ninguna manera. Tú eres el mayor, tienes la responsabilidad.

VICTORIA.—*(Dentro)* ¿Bueno? ¡Ah! ¿Eres tú, Elsa? Espera un segundo, ¿quieres?

RICARDO.—Es Elsa.

BERNARDO.—Así parece.

VICTORIA.—*(Dentro)* ¿Alex? ¿Cómo? ¿Vendrás tarde? Pero entonces no iremos al concierto.

RICARDO.—No irán al concierto. No la ha sacado a la calle en dos años de matrimonio. Creía yo que te interesaba Elsa.

VICTORIA.—Siempre es lo mismo, Alex.

BERNARDO.—Siempre es lo mismo. Y me interesa todavía; pero estamos peleados.

VICTORIA.—No. .. nada. . . Está bien. . . Adiós. . . ¿Qué? ¿Un ruido? Ah, ¡sí!. . Preguntaré. . . No. . . Está bien. . . No estoy enojada. . . estoy. . . Nada. *(Cuelga)*

RICARDO.—No puedo aprobarte. Es una chica demasiado doméstica.

VICTORIA.—¿Bueno, Elsa?

BERNARDO.—Déjame oír. Cállate.

VICTORIA.—*(Dentro)* ¿Cómo? ¿Roberto?

BERNARDO.—¿Roberto?

RICARDO.—¡Ah! Un rival.

VICTORIA.—*(Dentro)* No es posible.

BERNARDO.—Idiota.. . es el amigo de Herminia. . . ¿qué diablos. . .?

VICTORIA.—*(Dentro)* Te suplico que no vengas hoy, Elsa. Yo me encargaré de todo.

RICARDO.—No la verás hoy.

BERNARDO.—¿Qué quieres decir. . .?

VICTORIA.—*(Dentro)* Sí, sí, Elsa. No te preocupes. Adiós.

RICARDO.—¡Se te va!

BERNARDO.—*(Levantándose y yendo hacia la derecha)* Veremos.

VICTORIA.—*(Dentro)* ¿Bernardo? No, no está aquí, Elsa. Se fue a visitar a las Prado, allí podrás encontrarlo.

BERNARDO.—¡Victoria!

VICTORIA.—*(Colgando dentro)* Adiós.

RICARDO.—Da gusto tener una hermana así. Podría atender hasta un tercer teléfono.

BERNARDO.—*(A Victoria que vuelve)* ¿Por qué hiciste eso?

VICTORIA.—Si hubieras contestado tú el teléfono. . . harto te lo dije. Deberías agradecerme que te arreglé una cita con Elsa en casa de las Prado.

BERNARDO.—Elsa odia a las chicas Prado. Tiene celos de ellas.

VICTORIA.—¿De veras? Las tres están enamoradas de ti, ¿verdad? Anda, vete a ver a tus esclavas. Tú, Ricardo, ¿no tienes nada que hacer?

RICARDO.—¡Qué pregunta! Tengo que atender los teléfonos.

BERNARDO.—¿Por qué le dijiste a Elsa que no viniera hoy aquí?

VICTORIA.—Porque van a pasar cosas. Tampoco quiero que se queden ustedes. Voy a tener que decir algunas verdades muy feas a un señor.

RICARDO.—¿A tu marido porque no te lleva a oír a ese pianista? ¿Vas a protestar después de dos años de esclavitud?

VICTORIA.—No te metas en mis asuntos. No. Es otra persona.

BERNARDO.—Dime, ¿por qué te habló Elsa de Roberto?

VICTORIA.—Ah, ¡eso te interesa!

BERNARDO.—No.

VICTORIA.—¿Tienes celos? Dicen que Roberto tiene una gran experiencia en asuntos de mujeres.

BERNARDO.—Eres una tonta.

RICARDO.—El interés de mi hermano es puramente científico, Victoria.

BERNARDO.—Eres un tonto.

RICARDO.—Tú eres un Narciso fonético. Te pasas la vida diciendo tu nombre.

BERNARDO.—¿He dicho alguna vez Bernardo Rosas esta tarde?

RICARDO.—Ese es tu seudónimo. Te has pasado toda la tarde diciendo tonto.

BERNARDO.—¿Por qué te habló Elsa de Roberto, Victoria?

VICTORIA.—Eso sí es serio. Es la cosa más tonta y más grosera que he oído en mi vida. Imagínate que Roberto llamó anoche por teléfono a Elsa y le dio cita para hoy aquí.

BERNARDO.—El muy...

RICARDO.—Me parece que eso demuestra un gran tacto y un gran respeto de las conveniencias. Roberto quiere que la cosa se quede en familia.

BERNARDO.—¿No es novio de Magda, la prima de Elsa?

VICTORIA.—Era... quebraron. Pero eso no me interesa a mí. Lo que me interesa es que voy a darle una lección a ese señor cuando venga. Así aprenderá a andar citando chicas en mi casa.

RICARDO.—Habría que precisar si la citó arriba o abajo. Tu casa es arriba, y si él la citó abajo, a mí no me molesta.

BERNARDO.—Ya me arreglaré yo con él.

VICTORIA.—Ni arriba ni abajo. Y se lo voy a decir muy claro, así que váyanse ustedes, o por lo menos no estén en la sala cuando él venga.

BERNARDO.—Es un espectáculo del que no podemos privarnos.

RICARDO.—Absolutamente.

VICTORIA.—Pero Elsa te espera en casa de las Prado.

BERNARDO.—Yo esperaré aquí a Roberto.

RICARDO.—A mí me interesa verte hablar en serio. Será el número más cómico del mundo.

VICTORIA.—Ricardo, eres el chico más insoportable. . . ¿No comprenden que no puedo hablar delante de ustedes?

BERNARDO.—Hablaré yo. Tengo buena voz.

VICTORIA.—Los hombres no deben meterse en estas cosas. Después de todo, Roberto es un muchacho serio y decente, y no. . .

RICARDO.—Apuesto a que no te habría indignado tanto su actitud si tu marido no te hubiera vuelto a plantar. Vas a vengarte en él de no ir al concierto.

VICTORIA.—Voy a enseñarlo a conducirse, simplemente.

BERNARDO.—Cuenta con mi apoyo.

VICTORIA.—¡Oh, por favor, Bernardo! Vete a ver a tu prima Elsa en casa de tus admiradoras y déjame arreglar esto. *(Se dirige a la escalera)*

RICARDO.—Si yo me quedo es, en realidad, para defender a Roberto de tus garras.

VICTORIA.—*(Volviéndose desde el pie de la escalera)* ¡Ah! Alejandro se queja de que no puede dormir. Todas las noches se oyen martillazos debajo de su cuarto. ¿Saben ustedes algo de eso?

BERNARDO.—¡Algo! Yo lo sé todo: es obra de Ricardo.

RICARDO.—Una obra de arte.

VICTORIA.—No me importa lo que sea. . . debes hacerlo durante el día.

RICARDO.—Imposible.

VICTORIA.—¿Por qué? ¿Qué haces?

BERNARDO.—Tiene un gran anuncio de la playa de Miami hecho en lámina; todas las noches lo clava en la pared.

VICTORIA.—¿Por qué no lo dejas clavado de una vez?

RICARDO.—Imposible. Tengo que cambiarlo de posición cada noche para poder dormir. Influye en mis sueños.

VICTORIA.—Pues no lo consentiré más. *(Empieza a subir la escalera)*

RICARDO.—¡Oh, las mujeres! Esos seres telefónicos. . .

VICTORIA.—*(Volviéndose)* Creo que voy a hacer una visita a tu cuarto muy pronto. Ricardo. ¿Herminia no está?

BERNARDO.—¿Está Herminia?

RICARDO.—Ese es el problema: ¿Está Herminia?

VICTORIA.—Hablo en serio.

RICARDO.—Yo hablo con un interés científico.

VICTORIA.—¡Oh, Dios mío! Se habla de civilización en el mundo cuando siguen existiendo los hermanos.

Por la puerta de entrada aparece la Señora Rosas.

SEÑORA R.—*(Desde el pasillo)* ¿Está aquí Herminia?

RICARDO.—Eso es justamente lo que estábamos preguntándonos, mamá. Llegas a tiempo para el juego.

SEÑORA R.—*(Entrando)* No creo que en mi vida haya yo tenido tiempo para jugar. Menos ahora. . .

RICARDO.—Ese es el mal, precisamente. Tienes una seriedad impropia de tus años.

VICTORIA.—Ricardo, eres imposible. Déjala ya.

SEÑORA R.—Ricardo, ve a llamar a Herminia. Tengo que hablarle delante de ustedes.

RICARDO.—Mamá, las habitaciones de las solteras me han infundido miedo siempre.

BERNARDO.—Por mi parte, yo tengo una cita, mamá. Prefiero no asistir a este drama de familia.

SEÑORA R.—Ve tú, Victoria, ¿quieres?

RICARDO.—No vayas, Victoria. Supón que vas y

que Herminia salió por la otra puerta. Sería una decepción demasiado fuerte para tu carácter.

VICTORIA.—Necio.

SEÑORA R.—Ricardo, es tiempo de que te portes de otro modo. Tienes veintidós años.

RICARDO.—*(Buscándose)* ¿Dónde, mamá?

VICTORIA.—Ricardo... *(Le da un tirón de orejas)*

BERNARDO.—Bueno, hasta la vista. *(Toma su sombrero en el pasillo)*

SEÑORA R.—De ningún modo, Bernardo; te quedas aquí. Herminia ha ido ya demasiado lejos, y estoy dispuesta a obrar con energía.

RICARDO.—Pero, mamá, no estás entrenada para eso. El acto de mayor energía de tu vida fue quedarte viuda... y de eso hace ya mucho tiempo.

SEÑORA R.—Cada día te pareces más a tu padre. Acabarás como él, hijo mío, en manos de los mejores médicos de México. Llama a Herminia, Victoria. Tú, Bernardo, deja ese sombrero y siéntate. Tú, Ricardo, si no puedes portarte con seriedad, por lo menos cállate en un rincón.

VICTORIA.—¿De qué se trata, mamá?

SEÑORA R.—Se trata de Herminia, con lo cual se dice todo un mundo.

BERNARDO.—Me lo figuro todo. Prefiero no oír, mamá, si a ti te es igual. Los asuntos de Herminia son de ella, no míos.

RICARDO.—¡Qué hermoso gesto! Ojalá opinaras igual cuando se trata de mis asuntos.

VICTORIA.—Mamá, no quiero que creas que te pongo dificultades, pero me parece que debes dejar a Herminia libre de hacer lo que guste.

RICARDO.—Después de todo, Herminia es mayor de edad... tiene veinticinco años. Y Victoria tiene vein-

tisiete, aunque ha hecho creer a su marido que es ge-
mela mía.

VICTORIA.—Eres el muchacho más impertinente
que. . .

BERNARDO.—Yo he dado ya mi parecer en ese
noviazgo de Herminia. . . no prestó la menor atención,
de modo que no quiero perder más tiempo. Es libre de
tirarse del monumento a la Revolución si quiere.

SEÑORA R.—¡Qué liberalidad la de todos! Estoy
admirada, hijos míos. Pero todo esto no es más que un
egoísmo de ustedes. Herminia es mayor de edad, es
libre, consciente. . . tontería. Todo eso quiere decir:
no nos molestemos por nuestra hermana, no nos importa lo que haga. Bueno, niños, *a mí* me importa. Llá-
mala, Victoria.

VICTORIA.—Mamá, seriamente. . . todo esto no hará
más que empeorar las cosas. Déjala sola. . .

RICARDO.—No es extraño que haya revoluciones
en México. Estás completamente pasada de moda, mamá. Ahora son los hijos los que discuten los noviazgos
de sus padres. Además, ¿qué importa que Herminia
quiera casarse con Guzmán? Hay cosas peores en el
mundo: Victoria se casó con su primo Alejandro, y a
Bernardo le gusta tu sobrina Elsa.

BERNARDO.—Idiota, retrasado mental.

RICARDO.—Y yo, Ricardo Rosas. Tanto gusto.

VICTORIA.—Ricardo, sal inmediatamente de aquí.

RICARDO.—Mamá quiere que me quede, ¿verdad,
mamá?; de modo que no puedo complacerte. La fecha
de hoy va a ser gloriosa en los banales anales de la
familia de los Atridas.

VICTORIA.—¿Sabes cómo llaman en el barrio a mis
hermanos, mamá? Las espinas de las Rosas.

SEÑORA R.—Muy bonito. ¿Han terminado ya de decir tonterías?

RICARDO.—Mamá, sé paciente. Somos jóvenes. No hemos hecho más que empezar.

SEÑORA R.—El verme tan respetada y obedecida por mis hijos me compensa de todos los males de la vida. Yo llamaré a Herminia.

RICARDO.—De ningún modo, mamá, la llamaré yo.

BERNARDO.—Yo voy, mamá. Siéntate, por favor.

VICTORIA.—Nadie ha pretendido desobedecerte, mamá. Iré yo.

RICARDO.—Lo único que te pedimos es que reflexiones... unos años.

VICTORIA.—Herminia jura que está enamorada, y si sigues contrariándola hará cualquier disparate.

BERNARDO.—Las mujeres enamoradas son como las pistolas automáticas, mamá. Se disparan solas y hieren a alguien más.

RICARDO.—Herminia es mayor de edad, mamá, y, para colmo, tiene derecho al voto. Es peligrosa.

SEÑORA R.—Herminia es mi hija y desciende de una familia decente, aunque sea una familia de locos.

RICARDO.—Gracias, mamá.

BERNARDO.—Ricardo no es toda la familia, mamá.

VICTORIA.—Es natural que pienses así de mis hermanos; pero tus hijas somos como tú, mamá.

BERNARDO.—Mamá, estás guapísima esta tarde. Me habría casado ya si hubiera encontrado una mujer como tú.

RICARDO.—No le hagas caso, mamá, no tiene porvenir alguno. Prefiéreme a mí. Veintidós años, soltero, bastante guapo y *(susurrando ruidosamente)* virgen.

VICTORIA.—Eres completamente...

BERNARDO.—Idiota. *(Ricardo saluda)*

VICTORIA.—No te preocupes por Herminia, mamá. Déjame manejarla. No le impongas nada.

SEÑORA R.—Sigue. Son ustedes admirables de inconsciencia; no toman nada en serio.

BERNARDO.—No pienses siquiera en Herminia, mamá.

RICARDO.—Hay demasiadas cosas agradables en que pensar. Olvida a Herminia.

Aparece Herminia en la puerta derecha del fondo.

BERNARDO.—Hablemos de otra cosa. Se acabó Herminia.

RICARDO.—Herminia no existe.

HERMINIA.—*(En la puerta)* ¿Hablaban de mí?

RICARDO.—De ninguna manera.

BERNARDO.—Hablábamos de las próximas elecciones, son más interesantes.

VICTORIA.—¿Vas a salir?

HERMINIA.—¿Alguien se opone?

SEÑORA R.—¿Me hacen favor de callar todos?

RICARDO.—Aquí nadie conoce el valor del silencio, mamá.

BERNARDO.—Cállate.

RICARDO.—¿Y tú?

VICTORIA.—Mamá, por última vez. . .

HERMINIA.—Mientras se ponen de acuerdo iré al correo. Sin duda estarán todos aquí a mi regreso, ¿verdad?

SEÑORA R.—He pedido que callen ya. Tú, Herminia, siéntate.

HERMINIA.—Tengo que salir, mamá.

SEÑORA R.—Saldrás después. Y ustedes siéntense y guarden silencio, o que el silencio los guarde a ustedes; pero ya.

RICARDO.—Ya.

BERNARDO.—Ya.

VICTORIA.—Mamá, vas a equivocarte.

SEÑORA R.—No me da miedo equivocarme, Victoria; con la práctica que ustedes me atribuyen es seguro que mis equivocaciones son ya perfectas. Me encontré esta tarde en casa de las Montes con el notario Valencia, Herminia, y me dijo que has vendido tu casita y tus alhajas. ¿Es verdad?

HERMINIA.—Es verdad.

RICARDO.—¡Qué espíritu mercantil!

BERNARDO.—¿Te adelantas a la ley de expropiación?

VICTORIA.—¿Por qué hiciste eso, Herminia?

SEÑORA R.—¿Por qué, hija? *(Herminia se encoge de hombros)* Voy a decirte por qué. En todas partes saben ya que vas a casarte con el señor Guzmán. Lo has anunciado bien.

RICARDO.—Permíteme que no te felicite.

BERNARDO.—¿Piensas que así no tendremos más remedio que estar de acuerdo?

VICTORIA.—No debiste dar un paso semejante sin consultar con nosotros.

SEÑORA R.—¿Ahora resulta que se ofenden ustedes? ¿Qué diré yo, cuando Herminia ha hecho esto en contra de todos mis deseos?

HERMINIA.—Tarde o temprano tenían que saberlo. He vendido lo que era mío para comprar mi *trousseau*. Voy a casarme con Mario porque estoy enamorada de él. No he hecho precisamente una campaña de publicidad, pero lo he dicho a las gentes que van a apadrinarnos. ¿Es todo lo que querían saber? *(Silencio de todos)* Soy mayor de edad y puedo decidir mi destino. *(Silencio de todos)* Ya sé que no les gusta Mario porque es divorciado. ¿Es culpa suya si se casó con una mujer que no lo comprendía? *(Silencio)* Tampoco es aristócrata. Sus abuelos no fueron raqueteros políticos, como los liberales de quienes desciende mamá, ni conservadores terratenientes y avaros como los antepasados de papá. Pero es un hombre. *(Silencio)* ¿No tienen nada que decir?

RICARDO.—Es verdad que, enfocada desde ese punto de vista, esta alianza no puede ser más ventajosa. ¿O no, Bernardo?

BERNARDO.—Evidentemente. Como hombre, encuentro admirable el ahorro del *trousseau.*

RICARDO.—Lo de inyectar sangre nueva a la vieja raza me parece también digno de consideración.

BERNARDO.—Es cierto que la señora Guzmán número uno no comprendía al señor Guzmán.

RICARDO.—Pero, en cambio, el señor Guzmán la golpeaba.

HERMINIA.—¿Ya acabaron?

RICARDO.—Acabar precisamente, no.

BERNARDO.—Luego, hay que tomar en cuenta el amor. Una gran pasión así lo disculpa todo.

HERMINIA.—¿Tú no dices nada, mamá?

VICTORIA.—Permíteme, mamá. Mira, Herminia, yo quería evitar esta escena y hablar contigo a solas. Lo que los muchachos han dicho como broma es perfectamente serio. Vas a hundir tu vida casándote con un hombre de esos antecedentes, de quien ni siquiera estás enamorada.

HERMINIA.—Para ti el amor y el matrimonio no han sido más que una conversación entre parientes cercanos.

VICTORIA.—Crees que estás enamorada porque la oposición tan impolítica de mamá te ha exasperado, eso es todo. Tu eterno espíritu de contradicción. Cuando eras chica, me acuerdo perfectamente... no cuidabas más que tu ropa vieja. Apenas te ponía mamá un traje nuevo con la recomendación de que no lo ensuciaras...

HERMINIA.—¿Permiten? Necesito ir al correo.

SEÑORA R.—Ya todos han dicho lo que piensan, menos yo. Herminia, los has oído a todos y te falta oírme a mí. No vas a enseñarme lo que es el amor porque, como has dicho tú misma, mi familia era de liberales, la de tu padre de conservadores, y nos casamos por encima de toda diferencia política.

RICARDO.—¿Cómo no ha de ser infortunada una familia que desciende de los Capuletos y los Montescos?

BERNARDO.—Shakespeare sabía lo que hacía cuando no permitió que ese matrimonio tuviera descendencia.

VICTORIA.—¡Niños, por Dios! son ustedes monstruosamente infantiles.

RICARDO.—¿Qué quieres? No sabía yo que mamá fuera un personaje literario, Julieta. Dime, mamá, ¿es auténtica la escena del balcón? Yo siempre he tenido dudas.

SEÑORA R.—Ricardo, hijo mío... cuando naciste tú, murió tu padre. No quiero hacerte directamente responsable, pero creo que algo de eso hubo. Tu afán de hacer broma de todo, mataría a cualquiera. Tu padre, Herminia, se empeñó claramente al dividir sus bienes antes de morir, en que todos ustedes conservaran lo suyo intacto hasta que, faltándoles yo, se vieran obligados a vender sus propiedades como un último recurso para escapar a la pobreza. En realidad, cae uno en la pobreza tan pronto como vende lo que posee. Lo que tú has hecho no está bien. Puedes casarte si quieres, pero has de saber que al casarte contra mis deseos, contra la razón, contra la lógica, rompes conmigo y con toda la familia.

VICTORIA.—Mamá, por eso no quería que se tratara esto. Ya estás dando proporciones de tragedia a una cosa que no lo merece.

HERMINIA.—Como tú quieras, mamá. ¿Puedo ir ya al correo? Después tengo que vestirme para ir al concierto con Mario.

RICARDO.—Ella sí va al concierto, Victoria. ¿Te das cuenta?

BERNARDO.—Para ti pueden quedar resueltas así las cosas, Herminia; quizá para ti también, mamá, porque esto te da cierta aureola de víctima. Pero yo no permitiré que la gente se ría de nosotros.

VICTORIA.—Chst, chst, Bernardo. ¿Tú también en tragedia?

RICARDO.—¡Qué vergüenza, Bernardo! No hay nada más ridículo.

SEÑORA R.—Al hablar de un rompimiento, Herminia, tú sabes lo que he querido decir. No habrá escándalo, porque el escándalo me repugna. Seguiremos haciendo vida social y hasta familiar. Lo que se rompe entre nosotros es algo muy fino... invisible. Es el sentimiento que nos ligaba a ti y a mí, y a ti y a tus hermanos. La vida no será igual ya.

HERMINIA.—Lo siento mucho, mamá. No he sido yo la primera que habló de una ruptura.

RICARDO.—Nadie debe hablar de lo que hace. Basta con que lo haga, ¿o no?

SEÑORA R.—Y como primer paso para evitar el escándalo, puedes decir al señor Guzmán que está en libertad de visitarte en tu casa mientras... mientras... *(se enjuga rápidamente los ojos)* se casan.

VICTORIA.—¡Mamá!

RICARDO.—Mamá, no hagas eso. Es un recurso de melodrama... y te estropeará los ojos.

BERNARDO.—Mamá, te portas como una niña.

SEÑORA R.—No puedo remediarlo. De joven me hacían llorar las novelas; de vieja, me hacen llorar mis hijos. Creo que es algún defecto del nervio óptico. No se preocupen... Les prometo que consultaré con un oculista el lunes.

VICTORIA.—Eres tan linda, mamá.

RICARDO.—¡Debería darte vergüenza... a tu edad! Todavía yo que soy joven... *(Se enjuga en broma, pero en realidad tiene una lágrima)*

BERNARDO.—Está llorando de veras. ¡Es un fenómeno! ¡Te exhibiremos! ¡El hombre que llora!

RICARDO.—Es nervioso. No puedo ver llorar sin que...

VICTORIA.—Es por no ser menos.

SEÑORA R.—Es la herencia, hijos míos. Estas familias en decadencia... Iremos juntos a ver al oculista, Ricardo. ¿No ibas al correo, Herminia?

HERMINIA.—*(Reticente)* Sí.

RICARDO.—Bueno, nadie te detiene.

BERNARDO.—Ahora no irá.

HERMINIA.—Te equivocas. *(Va a la puerta del fondo izquierda, se vuelve)* ¡Ah! Va a venir Roberto... ¿quieren decirle que me espere?

VICTORIA.—Eso me recuerda... Tu amigo, tan medido, tan correcto...

SEÑORA R.—Es verdad, ese chico me gusta. Se nota que no se educó en colegios caros, como mis hijos.

VICTORIA.—Es un encanto de chico, mamá. No

tienes idea. Figúrate que ha tenido el descaro de citarse aquí con Elsa.

SEÑORA R.—Es muy poco halagador, para mis hijas, por lo menos. Elsa es mona.

RICARDO.—Es boba.

BERNARDO.—Tú cállate.

VICTORIA.—Es una grosería incalificable. ¿Por qué ha tomado esta casa? No tengas cuidado, Herminia, lo atenderé en tu ausencia. Voy a decirle todo lo que pienso de su conducta.

RICARDO.—Optimista. . . las mujeres piensan que piensan.

HERMINIA.—Me parece muy extraño esto. Es incapaz. . . Debe de haber algún error.

BERNARDO.—Ya me encargaré yo de que lo haya.

RICARDO.—Mamá, Bernardo ha heredado lo peor de la familia. Tiene celos y quiere pelearse con Roberto aquí mismo.

SEÑORA R.—¿Estás enamorado de Elsa?

BERNARDO.—Elsa está enamorada de mí. Pero esa no es una razón para. . .

HERMINIA.—Como quiera que sea, no vayan a ser groseros con él.

BERNARDO.—Te aseguro que me pondré guantes. Si es necesario, me vestiré de etiqueta.

VICTORIA.—Mamá, Elsa espera a Bernardo en casa de las Prado.

RICARDO.—Las Vírgenes de las Rocas.

BERNARDO.—¿Por qué dices eso tú, tonto?

RICARDO.—¿No están enamoradas de ti las tres, como en la novela, según dices? Pero mejor que las vírgenes de las rocas, a mí me parecen más bien las rocas vírgenes. *(A Bernardo que lo amenaza)* ¡Cuidado!

HERMINIA.—Por favor, mamá, que no vayan a molestar a Roberto.

BERNARDO.—No será molestia, será un placer.

SEÑORA R.—Vete tranquila.

VICTORIA.—Yo me encargaré de todo. *(Herminia sale)* Yo le diré que esa no es manera de que un hombre decente se conduzca. Es una... una... bellaquería, una...

SEÑORA R.—¿Por qué te indigna tanto esto, Victoria?

VICTORIA.—¿Por qué? Me parece muy claro. Porque... *(Se detiene)* En realidad no lo sé, pero me indigna.

SEÑORA R.—Bien. Olvida eso. Quiero decirles algo. He vuelto a comprar la casa y las alhajas de Herminia... esto me ha dejado bastante débil. Así que tendremos que hacer economías en cualquier forma.

RICARDO.—Es lo único que nos falta para parecer ricos.

VICTORIA.—¿No irás a dárselas otra vez?

SEÑORA R.—Cuando no tenga nada más... para cumplir con la voluntad de tu padre.

BERNARDO.—Eso no tardará mucho.

RICARDO.—Es evidente que se divorciará.

SEÑORA R.—¡No digas eso!

VICTORIA.—Mamá, pasa todos los días.

SEÑORA R.—Nunca ha pasado en mi familia.

RICARDO.—Nunca es tarde para empezar.

SEÑORA R.—¿Piensan que soy anticuada? Pues no me escandaliza el divorcio... me parece una cosa de mal gusto, un fracaso. Y les advierto que puedo permitir que Herminia se case con Guzmán: será un error terrible... pero jamás le permitiré que se divorcie... sería confesar su error. Una verdadera mujer no lo hace. ¿Qué hora es? *(Ricardo le enseña su reloj)* Tengo que hacer una visita todavía. ¿Quieres dejarme por ahí, Bernardo? Después tú irás a casa de las Prado.

BERNARDO.—He decidido quedarme aquí.

SEÑORA R.—*(Levantándose)* Anda, ven. Tengo que hablar contigo además.

RICARDO.—Sí. . . vete ya. Hay que despejar la atmósfera.

BERNARDO.—Oh, tú. . .

Suena el timbre de la puerta.

RICARDO.—Ese es Roberto. ¿Quién le abre?

BERNARDO.—Yo, encantado.

SEÑORA R.—Tú vienes conmigo por la otra puerta. *(Lo toma del brazo)*

BERNARDO.—Pero, señora, ¿no comprendes. . .?

SEÑORA R.—Comprendo que no quiero escenas en mi casa, y que mi hijo sea galante y me acompañe cuando se lo pido. *(Se dirigen a la puerta del fondo derecha)*

Suena otra vez el timbre.

RICARDO.—El pobre chico se impacienta; no sabe el destino que le aguarda.

Va al fondo izquierda y sale al pasillo.

SEÑORA R.—*(Volviéndose en la puerta del fondo derecha)* Victoria, creo que preferiría que no trataras nada con este muchacho. Será mejor que yo le hable.

VICTORIA.—No, mamá.

RICARDO.—*(En el pasillo)* ¿Cómo está usted?

ROBERTO.—*(Idem)* Buenas tardes.

VICTORIA.—Si no me desahogo ahora caeré enferma. Vete sin inquietud.

BERNARDO.—Confío en tu dulzura femenina. *(Victoria le saca la lengua)*

A tiempo que la señora Rosas y Bernardo salen por

el fondo derecha, Roberto entra por el fondo izquierda seguido por Ricardo, que lo colma de atenciones con una gran seriedad.

RICARDO.—Pase usted, siéntese. ¿Conoce ya a mi hermana Victoria? Es la mayor de la familia, imagínese. Mal genio, pero buen corazón.

ROBERTO.—¿Cómo está usted, señora? *(Victoria contesta con una leve inclinación de cabeza)*

RICARDO.—Siéntese usted, tenga la bondad. ¡No! Allí no. *(Sonriendo agradablemente)* Hay un martillo debajo del cojín... un asiento de familia.

ROBERTO.—Gracias. *(Permanece de pie)*

RICARDO.—Permítame... una mota. *(Le quita una mota imaginaria del traje)* Bonita corbata... ¿inglesa, verdad? Me compraré una igual en recuerdo de usted.

ROBERTO.—Es usted muy amable, pero no entiendo...

VICTORIA.—¿Ya acabaste de payasear, Ricardo?

RICARDO.—El señor Dávila va a pensar mal de ti, Victoria. Excúsela usted... es la mayor, usted comprende, chochea un poco.

VICTORIA.—*(A punto de estallar)* Ricardo...

RICARDO.—*(A Roberto)* ¿Un cigarro? Si prefiere usted otra marca, dígalo para mandarla comprar.

ROBERTO.—No, gracias.

RICARDO.—Sería el más respetable de sus deseos, para mí. El último.

ROBERTO.—Perdone usted.

RICARDO.—Oh, nada, nada. Lo que voy a suplicarle es que se abstenga de hacer juicios generales.

ROBERTO.—No entiendo.

RICARDO.—Ve usted, la familia ha evolucionado. En vez de ser, como antes, una pequeña colección de animales afines, se ha convertido en un grupo de ani-

163

males diferenciados. Por lo tanto, le ruego que no emita opiniones de carácter general que, además de ser siempre vagas, serían deprimentes para el resto de los animales de esta casa.

ROBERTO.—¿Es un consejo? No entiendo por qué me lo da usted, pero si le complace procuraré seguirlo.

VICTORIA.—No haga usted caso, se lo ruego. Ricardo, por favor...

RICARDO.—Comprendido, comprendido. *(A Roberto)* Acepte usted todas mis excusas... y mi simpatía más profunda. Siento que no podamos entablar un conocimiento duradero, porque me ha sido usted muy simpático. ¿Tomaría usted una copa de algo?

ROBERTO.—Una vez más, muchas gracias. Pero le ruego que me explique esta actitud un poco... extraña.

RICARDO.—Perdone usted, mi hermana mayor lo hará. Yo he hecho lo que he podido por impedir la catástrofe.

VICTORIA.—¡Ricardo!

RICARDO.—¡Adiós, señor Dávila! *(Se vuelve a otro lado, y de pronto)* ¿Puedo preguntarle su edad?

ROBERTO.—Ciertamente. Tengo veinticinco años.

RICARDO.—¡Tan joven! No resisto más. Buenas tardes.

ROBERTO.—Buenas tardes.

VICTORIA.—¡Gracias a Dios!

Ricardo sale por el primer término izquierda. Victoria y Roberto quedan al centro. Ella le señala el sofá de la derecha y se dirigen a él.

ROBERTO.—¿Perdone usted, señora, su hermano... es una persona normal?

VICTORIA.—Siéntese usted.

ROBERTO.—Gracias. Quizá he hecho una pregunta impertinente.

RICARDO.—*(Reapareciendo en la puerta izquierda)* Mil perdones. No sé cómo pude incurrir en una falta de delicadeza tan grande. ¿Señor Dávila?

ROBERTO.—¿Señor Rosas?

RICARDO.—Puedo preguntar... ¿qué flores prefiere usted?

VICTORIA.—Ricardo, eres intolerable. Hazme el favor de... *(Ricardo desaparece)*

ROBERTO.—Perdone usted, señora... ¿se burlaba de mí su hermano?

VICTORIA.—Se burlaba de mí, señor Dávila. Ahora me obliga a iniciar esta entrevista... que espero que sea la única que tengamos...

ROBERTO.—¿Decía usted?

VICTORIA.—...presentándole mis excusas en vez de pedirle las suyas.

ROBERTO.—Señora, no entiendo qué quiere usted decir.

VICTORIA.—¿Probablemente viene usted a visitar a mi hermana Herminia?

ROBERTO.—Precisamente, señora.

VICTORIA.—Bien, Herminia no tardará en venir; pero... ¿no echa usted de menos a otra persona?

ROBERTO.—Señora, no sé...

VICTORIA.—¿No se sorprende usted de no encontrar aquí a quien había citado?

ROBERTO.—Señora, yo...

VICTORIA.—No es usted tan joven que ignore que esas cosas no se hacen, señor Dávila. Además, me cuentan que tiene usted una gran experiencia en asuntos de mujeres, así que no entiendo cómo se atreve usted a usar mi casa, la casa de mi madre, como punto de cita para ver a una muchacha que...

ROBERTO.—Señora, no quisiera ser descortés, pero

confieso que, de género a género, prefiero el de su hermano Ricardo.

VICTORIA.—¿Qué quiere usted decir?

ROBERTO.—Es igualmente incomprensible; pero, por lo menos, es amable.

VICTORIA.—Pasaré por alto sus apreciaciones, señor Dávila. De cualquier modo, quiero que sepa usted que mi prima Elsa tiene teléfono.

ROBERTO.—Lo sé... pero no entiendo la relación... ¿O acaso quiere usted el número?

VICTORIA.—Y que tiene casa propia además.

ROBERTO.—Es una suerte en estos tiempos, pero...

VICTORIA.—Y que cuando tenga usted deseos de verla, puede visitarla en su casa en vez de citarla en la mía. Por lo menos, así es como se conduciría un caballero.

ROBERTO.—Permítame entender lo que dice usted, señora...

VICTORIA.—Elsa no vendrá, es bueno que lo sepa usted; pero puede esperar a Herminia si gusta, aunque yo, en lugar de usted... después de esto...

ROBERTO.—¿Dice usted que yo he citado a su prima Elsa en esta casa?

VICTORIA.—No fui yo.

ROBERTO.—Permítame usted. *(Reflexiona un segundo)* ¡Ah, sí!

VICTORIA.—¿De modo que ni siquiera lo recordaba usted?

ROBERTO.—Perdón. Anoche hablé con Elsa por teléfono. La llamé justamente para pedirle el nuevo número de Herminia... ahora recuerdo... ¿Y ella creyó que yo la había citado aquí? Es gracioso.

VICTORIA.—Si quiere usted mi opinión, no es gracioso.

ROBERTO.—Tiene usted razón, señora, no es gracioso. Es estúpido creerlo siquiera.

VICTORIA.—No es usted galante.

ROBERTO.—La galantería es una planta parásita, señora... necesita crecer sobre otra y no puede crecer... perdóneme usted, donde no hay otra. Es difícil concebir a la mujer sin la estupidez; pero algunas llevan la suya admirablemente y otras como un sombrero mal puesto.

VICTORIA.—¡Qué grosería!

ROBERTO.—El hombre de buen gusto, señora, decía Rivarol, recibe veinte heridas antes de dar un alfilerazo. Me rebela esta conducta de Elsa, y paralelamente la de usted. Ya sé que la mujer no hace milagros, pero podría tener a veces algún sentido común... aunque fuera de segunda mano.

VICTORIA.—*(Levantándose)* No escucharé más. Buenas tardes.

ROBERTO.—*(Levantándose)* No, señora, permítame. Es demasiado fácil aprovechar el hecho de ser mujer y la circunstancia de estar en su casa para insultar a un hombre.

VICTORIA.—¿Yo lo he insultado a usted?

ROBERTO.—Suponiéndome capaz de ser lo bastante imbécil para citar a su prima en esta casa. Nunca me cito con una mujer en la casa de sus familiares, porque esa casa es generalmente una incubadora de mentiras. Pero, sobre todo, no cité aquí a su prima porque no me interesa lo más mínimo.

VICTORIA.—¿De veras? Ella lo sentirá mucho.

ROBERTO.—Quizá no debería yo decirlo, señora, pero su prima se incrusta... digamos, como nácar, en el teléfono. Yo la llamaba desde un teléfono público para averiguar ese nuevo número. Había gente esperando, ella no me dejaba despedir. Le dije, para salir del paso: si va usted mañana por la casa de Herminia, nos veremos allí y entonces charlaremos. Y ella pensó que era una cita. ¡Es ridículo! Probablemente lo pensó porque así lo deseaba.

VICTORIA.—Es usted de una fatuidad insoportable.

ROBERTO.—Sí, señora; pero no soy estúpido.

VICTORIA.—Como dije, espero que ésta haya sido nuestra única entrevista. Buenas tardes.

ROBERTO.—Buenas tardes, señora. Esperaré a Herminia, si usted me lo permite.

VICTORIA.—Por mí, puede usted esperar a Elsa también.

Sube violentamente la escalera, entra en su cuarto y cierra la puerta de un golpe. Solo, Roberto pasea de un extremo a otro dando muestras de gran descontento. Saca un cigarro, lo enciende. Victoria reaparece en lo alto de la escalera. Roberto echa una ojeada a su reloj. Victoria baja dos o tres escalones, indecisa. Roberto, después de dudar, se dirige al pasillo del fondo, izquierda. Victoria baja corriendo el resto de la escalera. Roberto va a salir. Ella va al pasillo, aunque sin pasar a él, y no sin antes borrar de su aspecto toda apariencia de precipitación.

VICTORIA.—Señor Dávila. . .

ROBERTO.—*(Dentro)* Señora. . .

VICTORIA.—¿Quiere usted permitirme una palabra?

ROBERTO.—*(Entrando con el sombrero en la mano)* Si usted gusta. . .

VICTORIA.—Le ruego que se siente.

ROBERTO.—Gracias. *(Lo hace en la orilla del sofá izquierda)* Diga usted. . .

VICTORIA.—*(Sentándose)* Temo que Elsa no sea muy inteligente.

ROBERTO.—No precisamente.

VICTORIA.—En todo caso, yo tampoco he dado pruebas de serlo. *(Roberto no contesta)* ¿No es verdad?

ROBERTO.—Temo que no, señora. Tampoco yo he dado pruebas de ser un caballero. *(Victoria no contesta)* ¿Verdad, señora?

VICTORIA.—Temo que no. Dijo usted algunas cosas muy duras de las mujeres. ¿Las odia usted? *(Roberto no contesta)* ¿Las desprecia?

ROBERTO.—Las estudio, señora.

VICTORIA.—Pero si son tan estúpidas, no vale la pena estudiarlas.

ROBERTO.—Bueno, hay diversos grados, señora.

VICTORIA.—Me divertiría saber en cuál de ellos me ha clasificado usted después de lo que he hecho.

ROBERTO.—No debí dejarme llevar por las palabras. . . quizás.

VICTORIA.—Ahora lo conozco a usted mejor. Tenía otra idea de usted. Me habían dicho que usted frecuenta los foros de los teatros, que ha llevado una vida. . . agitada.

ROBERTO.—A los veinte años lo hacía yo, señora. Era el tipo a quien los tramoyistas tiraban clavos y bolsas de agua en la cabeza, o sobre quien dejaban caer los decorados al moverlos.

VICTORIA.—¡Oh, no lo creo! Por lo que he oído sobre usted, creía que fuera más bien un hombre. . . fatal.

ROBERTO.—Una vez una corista hizo todo lo que pudo por atraparme. Era la amante de un amigo mío. . . que no era mi amigo, sino un conocido. Yo creía que él era mi amigo y le fui leal. Ella se rió de mí. ¿Quiere usted decir un hombre inconveniente?

VICTORIA.—Más o menos. Y resulta que es usted un tímido y que odia a las mujeres. No es posible.

ROBERTO.—Creo que exagera usted, no las odio.

VICTORIA.—Tal vez no es usted más que un incomprendido.

ROBERTO.—¿Incomprendido? Oh, no. Un incomprendido es generalmente un hombre que no comprende a los demás.

VICTORIA.—Creía que era usted un experto... y resulta más bien un intuitivo.

ROBERTO.—Pero, señora, un intuitivo es un señor que se pasa la vida reconociendo aquello que no conoce.

VICTORIA.—¿Por qué habla usted mal de las cosas? A mí la intuición me parece algo maravilloso.

ROBERTO.—Cada quien tiene su forma de amar, señora. Yo no puedo amar sin criticar. Lo critico todo. Así, por ejemplo...

VICTORIA.—¿Por ejemplo?

ROBERTO.—Si fuera yo amigo de usted, si me hubiera usted perdonado...

VICTORIA.—Yo soy quien olvidé pedirle perdón.

ROBERTO.—No, señora, yo.

VICTORIA.—Pero es que sólo puede existir el perdón para los grandes crímenes. Las pequeñas faltas son imperdonables.

ROBERTO.—En ese caso...

VICTORIA.—Me parece un gran crimen hablar de las mujeres como usted lo hace. Pero, ¿qué iba usted a decirme? ¿Qué haría si fuéramos amigos?

ROBERTO.—La criticaría. Es la única forma posible de mi amistad.

VICTORIA.—Me parece muy agradable. ¿Y por qué me criticaría usted?

ROBERTO.—Le diría, por ejemplo, que no debe usted pintarse los ojos.

VICTORIA.—*(Seriamente ofendida)* ¡Oh!

ROBERTO.—Tranquilícese usted... no somos amigos.

VICTORIA.—*(Riendo)* Es verdad. Todavía. *(Suena el teléfono)* ¿Me permite usted?

Se levanta y sale por primer término izquierda, a tiempo que por el fondo izquierda entra Herminia, que pasa directamente a la sala.

HERMINIA.—¿Cómo está usted, Roberto? ¿Cuándo regresó?

VICTORIA.—*(Dentro)* ¿Bueno?

ROBERTO.—Ayer por la tarde. Tengo urgencia de hablar con usted.

Dentro se oye a Victoria colgar el teléfono.

HERMINIA.—Muy bien. ¿Nos sentamos?

Lo hacen en el sofá derecha, mientras Victoria vuelve.

VICTORIA.—Equivocado. *(Ha entrado sonriendo. Al ver a Herminia se detiene y se pone seria)* ¿Ya estás aquí? El señor Dávila te esperaba.

HERMINIA.—¿Yo te había dicho que vendría, o no?

VICTORIA.—Es verdad. *(Pausa. Roberto y Herminia callan)* Bien. *(Pausa)* Probablemente tendrán ustedes que hablar. *(Pausa)* Los dejo. *(Roberto se levanta)* Espero que no lo haya aburrido nuestra conversación, señor Dávila.

ROBERTO.—Fue muy animada, señora.

VICTORIA.—Demasiado. *(Pausa)* Bien. Me agradará volver a verlo.

ROBERTO.—Mil gracias. Estaré encantado.

VICTORIA.—*(Tendiéndole la mano)* Bueno... hasta luego.

*Roberto se inclina. Victoria sube la escalera lenta-
mente.*

HERMINIA.—Espero que lo hayan tratado bien en
mi ausencia, Roberto.

ROBERTO.—Oh. . . muy bien.

Victoria sale después de mirar hacia abajo.

HERMINIA.—¿Qué chiste era ése de Elsa? Es tan
tonta. . .

ROBERTO.—No tenía importancia.

HERMINIA.—Bueno, ¿qué quería usted decirme?

ROBERTO.—*(Sentándose)* ¿Un cigarro?

HERMINIA.—Sí.

ROBERTO.—*(Después de encender el cigarro de
Herminia, y encendiendo el suyo)* Soy amigo de usted,
¿no es cierto?

HERMINIA.—Me enorgullezco de ello.

ROBERTO.—Gracias.

HERMINIA.—¿Por qué regresó usted tan inespe-
radamente?

ROBERTO.—Por usted.

HERMINIA.—¡Ah!

ROBERTO.—Quiero decir. . . me han dicho que se
casa usted. ¿Es cierto?

HERMINIA.—Es cierto.

ROBERTO.—¿Con aquel novio suyo. . . divorciado?

HERMINIA.—Con Mario Guzmán, sí.

ROBERTO.—Supongo que lo ha pensado usted.
Usted piensa.

HERMINIA.—Estoy decidida. *(Pausa)*

ROBERTO.—Entonces tal vez mi regreso ha sido
inútil. Pero tenía tal convicción de llegar a tiempo. . .

HERMINIA.—¿Qué quiere usted decir?

ROBERTO.—Nunca me ha gustado ese novio suyo.

Lo encuentro... siniestro. Una noche la amenazó con una pistola, ¿no es cierto?

HERMINIA.—*(Cambiando el tema)* Ahora que venía a casa encontré en la esquina a su amigo Raúl.

ROBERTO.—*(Reaccionando)* ¿Raúl? En efecto... *(Pausa)* ¿Quiere usted verdaderamente a su novio, Herminia?

HERMINIA.—¿Por qué me pregunta usted eso?

ROBERTO.—Estoy acostumbrado a encontrar contrastes en el amor; pero este caso me parece... absurdo.

HERMINIA.—¿Arregló usted sus asuntos?

ROBERTO.—¿Cuáles?

HERMINIA.—Los que lo llevaron a Guadalajara.

ROBERTO.—No, naturalmente. En principio yo nunca arreglo mis asuntos. Pero recibí una carta en la que me decían que se casaba usted.

HERMINIA.—¿Quién pudo escribírsela?

ROBERTO.—Mi amigo Raúl. Y entonces lo dejé todo y vine en seguida.

HERMINIA.—¿Y por qué esa prisa?

ROBERTO.—Pensé escribirle... pero ya no fío en las cartas. Preferí venir.

HERMINIA.—Pero, ¿por qué?

ROBERTO.—Porque no debe usted casarse con ese hombre.

HERMINIA.—¿Quiere usted que cambiemos el tema?

ROBERTO.—Ya lo ha hecho usted dos veces. Pero yo vine a eso. Si tiene usted confianza en mí, debe dejarme hablar y contestarme sinceramente.

HERMINIA.—Tengo confianza en usted... Pero ¿para qué discutir eso? Estoy resuelta a casarme.

ROBERTO.—Lo terrible no es casarse, sino hacer

vida conyugal, Herminia. No será feliz. Usted lo sabe.

HERMINIA.—¿Por qué no?

ROBERTO.—Contésteme sinceramente. ¿La comprende a usted ese hombre?

HERMINIA.—Me atrae.

ROBERTO.—No es bastante. Yo lo conozco de lejos... Me he informado... El no la comprende... y usted no lo quiere.

HERMINIA.—*(Levantándose)* ¡Qué sabe usted! *(Camina hacia el centro)*

ROBERTO.—*(Levantándose)* No puede usted quererlo. *(Cruza hacia ella)* Sólo ha excitado su piedad contándole los infortunios de su primer matrimonio, y su curiosidad... morbosa, amenazándola con golpearla... con matarla.

HERMINIA.—*(Yendo a la izquierda)* Es posible.

ROBERTO.—*(Siguiéndola)* El amor no puede salir de cosas tan sórdidas.

HERMINIA.—Lo he pensado mucho, Roberto, y creo que mi destino, bueno o malo, está en Mario.

ROBERTO.—El malo, sin duda.

HERMINIA.—*(Sentándose en el sofá izquierda)* Podía haber elegido a otro. Usted sabe que no me faltan pretendientes.

ROBERTO.—*(Cerca del sofá)* Sí... familiares, amigos antiguos. Eso es otra cosa. Además, usted va a ese hombre porque su familia se lo ha prohibido. Por capricho.

HERMINIA.—No.

ROBERTO.—Prometió usted contestar sinceramente.

HERMINIA.—Bueno, en parte sí.

ROBERTO.—No debe usted estropear su vida.

HERMINIA.—Pero es mi vida, me parece.

ROBERTO.—Esta es su cara. ¿Va usted a arruinarla sólo porque es suya?

HERMINIA.—No hablemos más de esto. . . ¿quiere usted? Lo he discutido hasta el cansancio con mi familia. He aceptado hoy mismo romper con mi familia antes que romper con Mario.

ROBERTO.—*(Sentándose)* Será usted desgraciada.

HERMINIA.—Nadie lo sabrá.

ROBERTO.—Ya sé que es usted orgullosa. Pero lo sabrá usted. . . y lo sabré yo.

HERMINIA.—¿Y qué?

ROBERTO.—Me es intolerable la idea de que pueda usted sufrir. En muchos aspectos la he considerado siempre como una muchacha excepcional.

HERMINIA.—Pero sólo las gentes excepcionales sufren correctamente. Es lo lógico. Déjeme usted hacer o deshacer mi vida.

ROBERTO.—Y ocúpese en hacer o en deshacer la suya. ¿No quiere usted decir eso?

HERMINIA.—Quizás.

ROBERTO.—Admitiré entonces que tiene usted derecho a tirar su propia vida por un voladero, a ser desgraciada al lado de un hombre que la disolvería en su propia sombra, Herminia.

HERMINIA.—*(Levantándose)* ¿Entonces no hay discusión?

ROBERTO.—*(Levantándose)* Pero no tiene usted derecho a ensombrecer y a estropear la vida de alguien más.

HERMINIA.—¿Se refiere usted a mi familia?

ROBERTO.—Suponga usted que un hombre. . . otro hombre. . . hubiera cometido ese error terrible del amor. . . le hubiera entregado a usted su vida y su destino.

175

HERMINIA.—*(Yendo al centro)* Pero eso no es cierto.

ROBERTO.—*(Siguiéndola)* Suponga usted que ese otro hombre, por ser pobre, ambicioso, por esperar un momento más propicio, hubiera callado... pero enderezando todos sus pensamientos y todas sus acciones hacia usted, dedicándole todas sus empresas, todos sus deseos, todas sus esperanzas...

HERMINIA.—*(Yendo a la derecha)* Ese hombre no existe más que en la imaginación de usted.

ROBERTO.—En la imaginación sólo puede existir lo real, Herminia; aun lo irreal se vuelve verdadero en ella, porque el clima de la imaginación es de fuego. Ese hombre existe.

HERMINIA.—*(Sentándose al extremo derecho del sofá derecha)* No lo creo.

ROBERTO.—¿Por qué resistirnos a aceptar que exista lo que no conocemos? *(Se sienta a la izquierda de ella)* Mírese usted, entonces, situada entre dos hombres. Uno a quien conoce... uno que ha tenido ya en sus manos una oportunidad de hacer su vida, y que la ha deshecho con sus manos; y otro que no ha tenido ninguna oportunidad antes. Uno que ha sido irreflexivo, brutal *(ella se levanta),* que ha hecho daño *(ella vuelve al centro)* y otro que espera y que no ha hecho nada todavía. *(Se levanta)* Uno divorciado, experimentado. *(ella pasea de primer término a fondo centro)* El otro soltero, más joven, sin experiencia. Uno que ha vivido mal su vida; el otro que pretende vivir bien la suya. ¿Cuál de los dos tiene más derecho a ser escuchado?

HERMINIA.—*(Deteniéndose)* ¿Y por qué no habló a tiempo ese otro?

ROBERTO.—*(Yendo hacia ella)* Ya se lo dije...

176

por pudor. Si usted se casa con Guzmán *(ella tiene un ademán de impaciencia; pasea de derecha a izquierda)* creeré que el amor es lo mismo que la política... un país en el que el fracaso es premiado y la mediocridad recibe estímulo. Un hombre que ha fracasado recibirá el premio que es usted... *(ella se detiene junto al sofá izquierda. Mientras él sigue hablando, ella se sienta en el brazo derecho del sofá)* tocará con sus manos torpes, habituadas ya a ser torpes, la sensibilidad, la inteligencia, la belleza de usted, y las marcará con la destrucción. En cambio, otro hombre que se ha propuesto la figura de usted, su nombre, como una tierra prometida, se verá privado de todo.

HERMINIA.—*(Instalándose al centro del sofá)* Pero...

ROBERTO.—*(Yendo a sentarse junto a ella)* Piense usted que destruiría un mundo en embrión. Un primer desengaño puede aniquilar muchos recursos vitales en un hombre. Pensará que todas las mujeres son igualmente incomprensivas y despreciables, que no vale la pena vivir, en suma. No usaría usted dos veces una tela podrida para un traje, ¿verdad? ¿Por qué usar un hombre podrido, gastado, corrompido por una experiencia negativa?

HERMINIA.—*(Se levanta, pasea un poco, luego vuelve a él, permaneciendo de pie junto al sofá)* Roberto, esto me conmueve más de lo que podría decirle.

ROBERTO.—Claro que elegir con lucidez sería un milagro, y las mujeres no saben hacerlos... pero ¿no puede usted salvarse y salvar a la vez a ese hombre de caer en la nulidad, en la desesperación, en la sombra?

HERMINIA.—*(Sentándose junto a él)* Roberto...

ROBERTO.—No dude usted, Herminia. No se sacrifique ni sacrifique a ese otro hombre por orgullo. No tenga usted miedo de retroceder. No sea usted mujer en el sentido repelente y odioso de la palabra. Por lo menos, piénselo.

HERMINIA.—Me doy cuenta... no sé cómo decírselo... me doy cuenta de que estaba yo en uno como sótano... de que todo lo que me llevaba a Mario era algo enfermizo, morboso... como cuando las gentes encuentran deliciosa la carne descompuesta. Me ha sacado usted al aire, Roberto.

ROBERTO.—¿Entonces no rechaza usted a ese hombre?

HERMINIA.—Después de lo que usted ha dicho, sería un milagro rechazarlo... y usted dice que la mujer no hace milagros.

ROBERTO.—Piense usted que es pobre.

HERMINIA.—Pero eso no se nota casi ahora... No importa.

ROBERTO.—Que no está desenvuelto, sino que es un conjunto de valores potenciales, inciertos todavía.

HERMINIA.—¿No podría yo ayudarle a desenvolverlos?

ROBERTO.—Que puede fracasar.

HERMINIA.—Dicen que eso es muy interesante... pero yo trataría de evitarlo.

ROBERTO.—No decida usted aún.

HERMINIA.—¿Tiene usted miedo?

ROBERTO.—Un poco, se lo confieso.

HERMINIA.—Pero tendremos tiempo de hablar, de conocernos, antes de hacer nada irreparable. ¿No cree usted? Todo lo que usted me ha dicho me ha detenido a pensar... he recordado cosas... he visto tantas otras claras de pronto...

ROBERTO.—Gracias, Herminia. *(Se levanta)*

HERMINIA.—¿No se va usted?

ROBERTO.—Sí. . . usted comprende. . .

HERMINIA.—No. . .

ROBERTO.—Tengo que hacerlo. Debe de estar tan impaciente. . .

HERMINIA.—¿Impaciente? ¿Quién?

ROBERTO.—El.

HERMINIA.—¿El?

ROBERTO.—El otro hombre. . . que me espera en la esquina. . . Raúl.

HERMINIA.—¿Quiere usted decir que. . .?

ROBERTO.—Sí. . . de él se trata. Permita usted que lo tranquilice, y que venga a hablarle él mismo. Ahora todo será más sencillo.

HERMINIA.—¿Quiere usted decir que todo este tiempo. . .? *(Se levanta)*

ROBERTO.—La ha querido en silencio. Nadie más que yo lo sabía. Adiós, Herminia.

HERMINIA.—Raúl. . . *(Se deja tomar la mano por Roberto)*

ROBERTO.—*(Se dirige al fondo izquierda, se vuelve sonriendo)* No se lo diga usted. . . pero tenía yo tal miedo de una negativa. . .

Sale cerrando la puerta. Herminia se sienta lentamente en un sillón de la izquierda.

HERMINIA.—¡Raúl. . . !

Suena el teléfono. Ella lo deja sonar, mirando al vacío. . . asombrada todavía de este resultado. Victoria aparece arriba. El teléfono sigue sonando. Suena el timbre de la puerta, Victoria baja la escalera.

VICTORIA.—Creí que no había nadie aquí. ¿No has oído el teléfono?

HERMINIA.—*(Lejana, suspendida)* ¿Cuál teléfono?

TELON

ACTO SEGUNDO

El mismo decorado. Cuatro semanas después, a las nueve de la noche.

Al levantarse el telón aparecen en la escena la señora Rosas, con una chalina; Victoria; Alejandro, su esposo; Bernardo y Ricardo Rosas. Todos vueltos hacia la puerta del fondo izquierda: Simultáneamente se oye una voz que dice con fuerza: "¡Todavía no hemos acabado. Oirán ustedes hablar de mí!". . . y la puerta exterior que es cerrada con gran violencia. Lentamente los familiares se miran unos a otros dirigiéndose esa universal mirada que significa: "Y bien, ¿qué les parece?" o "¿Qué opinan ustedes?" mientras mueven la cabeza convenientemente. Conforme hablan, van volviéndose hacia el frente y sentándose en diferentes lugares.

BERNARDO.—Se salvó el honor de la familia, mamá.

RICARDO.—Se salvó el dinero del *trousseau,* que es igualmente importante.

VICTORIA.—Bueno. Se acabó.

SEÑORA R.—No estoy tan segura. ¿No oíste lo que dijo?

ALEJANDRO.—Una bravata. No hará nada. Esto no significa que yo apruebe el proceder de Herminia. Apar-

180

te de que no es correcto, nos ha puesto a todos en peligro.

BERNARDO.—Un hombre despechado es capaz de muchas cosas; sin embargo, creo que Guzmán se cuidará de hacer nada.

RICARDO.—Me alegro de no haberme enamorado nunca. Ojalá Dios me conserve mi inocencia. El amor es una cosa terrible, tiene tanto amor propio, que debería ser mexicano.

ALEJANDRO.—Lo que me parece indispensable es que en sus próximas rupturas no mezcle Herminia a la familia.

BERNARDO.—¡Bah! La cosa fue más fácil de lo que se esperaba.

VICTORIA.—¿Gracias a quién? Ustedes estaban ahí nada más, sin decir nada, sin hacer nada...

RICARDO.—¿Qué quieres decir, sin hacer nada? Yo le ofrecí asiento... sobre el martillo. *(Lo saca y lo besa)*

SEÑORA R.—Es necesario que pongas ese martillo en su lugar ya, Ricardo.

RICARDO.—Muy bien, mamá. *(Lo acomoda cuidadosamente bajo un cojín)*

VICTORIA.—De veras... no hay como una situación así para darse cuenta de lo poco que sirven los hombres en una familia. ¿No le daba Bernardo la razón casi?

BERNARDO.—Era por cortesía. ¿Y tu marido, qué hizo fuera de tomar todas las actitudes de Napoleón? *(Alejandro le lanza una mirada de disgusto y adopta la actitud napoleónica de ponerse las manos a la espalda)* ¿Lo ven?

ALEJANDRO.—A mí déjame en paz.

RICARDO.—No todo el mundo puede tener tu ferocidad, Victoria. Hubieras sido un estupendo líder. ¡Qué no dijiste!

SEÑORA R.—Como quiera que sea, les confieso que no estoy tranquila.

VICTORIA.—¿Quién te entenderá, señora? Antes no querías que se hiciera ese casamiento. Bueno, no se hará ya. Y ahora tampoco estás tranquila.

SEÑORA R.—Es un hombre apasionado, rencoroso, usa pistola.

En este momento se oye una detonación no muy lejana. Todos se sobresaltan. Una segunda detonación, y se levantan.

SEÑORA R.—¿Qué es eso?

ALEJANDRO.—Ha sido aquí cerca.

Una tercera detonación sobreviene.

SEÑORA R.—¡Dios mío!

Esperan en silencio. Después de una pausa, Ricardo tiene un gesto malhumorado. . . truena los dedos, mueve la cabeza, chasquea la lengua y se sienta.

VICTORIA.—¿Qué puede haber sido?

SEÑORA R.—No me atrevo a pensar. . . Ricardo, Bernardo, vayan a ver, por favor.

RICARDO.—¿Para qué, mamá? Si ha sido un crimen pasional, lo leeremos mañana en los periódicos.

SEÑORA R.—¿Cómo puedes bromear en este momento?

VICTORIA.—El miedo es capaz de todo, mamá. ¿Vamos a ver qué pasó, Alex?

ALEJANDRO.—Esto no es vida ya. Vengo exhausto de la oficina porque estamos en balance, con deseos de descansar, de ser colmado de atenciones por mi mujer, y me encuentro de pronto metido en esta ceremonia de monos porque Herminia, que hace apenas una semana gritaba que se casaría con Guzmán, ha decidido romper con él. Y todavía quieres que salga yo a la calle para ver qué ha ocurrido. Yo voy a ponerme una bata y unas pantuflas. Se acabó. No quiero volver a tener nada con los asuntos de la familia. Ni tú. Para eso te casaste. *(Se dirige a la escalera)*

SEÑORA R.—Pero no comprendes que puede haber sido... no quisiera pensarlo... que puede haber sido... no me atrevo a decirlo... *(Se dirige al fondo izquierda)* Iré yo entonces. ¿Vamos, Victoria?

BERNARDO.—De ninguna manera. No debes coger frío, mamá.

SEÑORA R.—Frío en verano. Eres maravilloso, hijo mío.

RICARDO.—Pero, ¿por qué has de suponer necesariamente que Guzmán ha matado a Herminia, mamá?

SEÑORA R.—¡No digas eso!

RICARDO.—Esas cosas pasan, las leemos todos los días en los periódicos y son como un complemento para el desayuno... casi un deporte. El crimen pasional es mexicano de nacimiento.

SEÑORA R.—¿Quieres callar, Ricardo?

RICARDO.—Pero... aquí entre nosotros... puede haber sido el marido de la señora de enfrente, que descubrió al fin que su mujer se sonreía todos los días con Alejandro.

VICTORIA.—¿Ah, sí, Alex?

ALEJANDRO.—Ricardo, eres el más perfecto idiota que he conocido.

BERNARDO.—Oh, no exageres. No hay nada perfecto.

RICARDO.—Tengo otra idea. Tal vez Guzmán se ha suicidado en el parque. ¡Pam-pam! *(Mima el suicidio)*

SEÑORA R.—¡Oh, Dios mío!

VICTORIA.—¿Qué, mamá?

SEÑORA R.—Con lo que cuida el propietario su pasto inglés. . .

RICARDO.—Eso del suicidio ya no te impresiona, ¿verdad?

BERNARDO.—No hay como las mujeres sensitivas.

RICARDO.—¿No se fijaron que durante toda la discusión mamá miraba a la alfombra?

SEÑORA R.—Era una situación tan penosa. . . tan molesta. . .

RICARDO.—No. Hacía sus cálculos. Leo en ti como en un libro abierto. Mirabas la alfombra y pensabas: Si este señor saca la pistola aquí, y mata a alguno, o se mata, me va a echar a perder mi último tapete persa. . . ¡un recuerdo de familia!

SEÑORA R.—Mal hijo. . . eso es precisamente lo que pensaba. . . tengo las entrañas tan insensibles como tú, sin duda. ¿Querías tranquilizarme, hacerme reír? Bien, lo has conseguido. Ahora vamos todos a ver qué es lo que ha pasado.

ALEJANDRO.—Yo me voy a mi cuarto. Y tú, Victoria, harías mejor en ir a la cocina. Tengo hambre.

Suena el timbre de la puerta. La Señora Rosas se sobresalta. Todos miran al fondo izquierda.

RICARDO.—¡Valor, mamá! ¿Quién abre?

BERNARDO.—Tú.

RICARDO.—No. Yo le abrí a Guzmán. Ahora te toca a ti.

BERNARDO.—A Victoria.

VICTORIA.—Yo voy a la cocina; ya oyeron a mi marido.

Suena el timbre.

SEÑORA R.—¿Quieren abrir ya, niños, o será necesario que me moleste yo?

RICARDO.—De ningún modo, mamá. Te ruego que no te pongas nerviosa. Abre tú, Bernardo.

BERNARDO.—Como tu hermano mayor, te ordeno que lo hagas tú.

RICARDO.—Lo jugamos si quieres. *(Saca una moneda)*

BERNARDO.—Hecho. *(Lo imita)*

El timbre.

RICARDO.—*(Echando la moneda al aire)* ¿Qué?

BERNARDO.—Aguila.

RICARDO.—*(Mirando la moneda)* Perdiste.

BERNARDO.—Que yo lo vea.

RICARDO.—Velo. . . es águila.

El timbre.

SEÑORA R.—Son ustedes. . .

BERNARDO.—No te muevas, mamá. Gané, idiota.

RICARDO.—Perdiste. Era un ganapierde.

El timbre. Victoria se dirige violentamente a abrir, diciendo:

VICTORIA.—¡Qué familia más inútil!

BERNARDO.—Victoria carece por completo de espíritu deportivo.

VICTORIA.—*(Dentro)* ¡Elsa!

SEÑORA R.—*(Respirando)* Menos mal. Pensé que era la policía.

RICARDO.—*(Burlón)* Pasa. Elsa. Figúrate que Bernardo no quería que se te abriera la puerta.

ELSA.—*(Entrando con Victoria)* ¿Cómo?

BERNARDO.—Como vuelvas a gastarme una broma así. . . *(Amenaza)*

RICARDO.—*(Pegándole la cara)* ¡Qué! ¡Qué!

SEÑORA R.—¡Niños! ¡Qué casa de locos!

ALEJANDRO.—Victoria, ¿me haces el favor. . .?

VICTORIA.—*(Enfadada)* Sí, sí, en seguida. Tu cocinera te atenderá en seguida. ¿No ibas a ponerte una bata?

RICARDO.—Una camisa de fuerza sería más adecuada. Lo estás volviendo loco.

ALEJANDRO.—¡Gracioso!

SEÑORA R.—Siéntate, Elsa.

ELSA.—Gracias, tía. No vengo más que un minuto. ¿Es verdad que. . .?

RICARDO.—¿Otro chisme?

ELSA.—¿Cómo puedes decir eso, Ricky? ¿Tía, es verdad que Herminia ha roto con Mario? Pobre Mario. . . ¿qué crees que le ha pasado cerca de aquí. . .?

SEÑORA R.—¿Qué? ¡Acaba de una vez!

ELSA.—Pobre. Cuando se preparaba para irse. . .

VICTORIA.—¡Dilo, niña!

ELSA.—El pobre. Le tronaron tres llantas. . . ¡tres! una tras otra. Estaba furioso.

Pequeña pausa.

SEÑORA R.—¿Ricardo?

Todos se vuelven a mirarlo, uno por uno.

RICARDO.—¿Señora?

SEÑORA R.—Fuiste tú, ¿verdad?

VICTORIA.—Naturalmente, mamá.

BERNARDO.—Eres un salvaje.

SEÑORA R.—¿Cómo pudiste atreverte. . .?

RICARDO.—Lo siento de veras, mamá. Siento defraudarlos a todos, pero había yo tomado todas las precauciones necesarias. . . de veras. . . para que reventaran las cuatro llantas. Me falló. Ahora no podré patentar mi pinchaneumáticos. Sin embargo, el interés de la ciencia me obliga a continuar adelante, sin dejarme vencer por mi fracaso.

ALEJANDRO.—Yo me alegro. Guzmán merece eso y más.

ELSA.—¿Pero quieres decir que tú. . .? ¡Oh, Ricky! Eres tremendo.

SEÑORA R.—Es una majadería horrible. ¡Tres llantas! *(Se echa a reír)*

VICTORIA.—¡Es idiota, pero. . . ! *(Ríe)*

BERNARDO.—¡Pam! ¡Pam! ¡Pam! *(Ríe)*

ALEJANDRO.—¡La cara que pondría! *(Rompe a reír)*

ELSA.—¡Si lo hubieras visto! Ahora me doy cuenta de que era cómico. *(Ríe)*

RICARDO.—¿De qué se ríen ustedes?

SEÑORA R.—¿Lo preguntas? *(Todos gritan y hacen ruido)*

RICARDO.—*(Con gran seriedad)* Si hubieran estudiado ustedes psicología, comprenderían la profundidad de mi intención. . . me admirarían en vez de reír.

BERNARDO.—¡Oh, no seas pesado! El chiste está bien; la presumida, no.

RICARDO.—Pero yo lo hice con la intención más seria del mundo.

SEÑORA R.—¡Eres tan loco, hijo mío!

VICTORIA.—Incurable.

ALEJANDRO.—Deberían encerrarte.

RICARDO.—¡No, no, no! Comprendan. Este hombre sale de aquí furioso. Lleva una pistola. Tiene un automóvil. En el estado en que va, puede matar a alguien, chocar con otro automóvil o por lo menos estrellarse. Hay que impedir que su automóvil corra. En realidad, le he salvado la vida.

ALEJANDRO.—¡Oh, oh!

VICTORIA.—Acabarás en el manicomio.

RICARDO.—Tú principiaste por él. . . cuando te casaste.

ALEJANDRO.—¿Ah, sí?

187

SEÑORA R.—Niños.

RICARDO.—Pero eso no es todo. Si no fueran ustedes unos salvajes, no tendría que explicarles. . .

ELSA.—Oh, Ricky. ¿Cómo puedes insultarnos así?

BERNARDO.—Insulta, pero explica.

RICARDO.—Ese hombre sale de aquí sintiéndose herido, traicionado. . . un personaje de tragedia. . . sublime. ¡Vamos! ¿Qué pasa entonces? Pam-Pam-Pam-Pam. No, perdón. Pam-Pam-Pam. Nada más. Sólo tres. Pasa que pasa de lo sublime a lo ridículo, lo desarmo, le impido cometer un crimen. Eso es, modestamente, lo que he hecho.

ALEJANDRO.—En mi vida he oído cosa más tonta.

RICARDO.—No dirías eso si te oyeras más a menudo.

VICTORIA.—Deja en paz a mi marido.

SEÑORA R.—Pero entonces. . . ¡Ricardo!

RICARDO.—¿Qué, mamá?

SEÑORA R.—¿No ves lo que puedes provocar? Guzmán se ha quedado cerca de aquí. . . puede venir Herminia. . . pueden encontrarse. . . puede suceder lo que. . .

VICTORIA.—Tranquilízate, mamá. Herminia está en su cuarto.

SEÑORA R.—Tendré que verlo. *(Sale rápidamente por el fondo derecha)*

ALEJANDRO.—Quiero cenar, Victoria.

VICTORIA.—Está bien.

Alejandro sube la escalera y sale dando un portazo. Victoria, súbitamente seria, se mira las manos y sale lentamente por el comedor.

ELSA.—A mí se me figura que Victoria no es feliz con Alejandro.

RICARDO.—¿De veras? A mí se me figura que tú tienes una propensión terrible a enfermar.

ELSA.—¿De veras? ¿De qué?

RICARDO.—El chisme es la enfermedad más grave y más repugnante que hay, Elsa.

ELSA.—¿Sí?

BERNARDO.—No le hagas caso.

RICARDO.—Sí.

ELSA.—Pues yo creo que hay una enfermedad peor, y temo seriamente, Ricky, que tú la padezcas.

RICARDO.—¿Y cuál es?

ELSA.—El chiste. He estado leyendo un libro *tan* interesante, Bernardo.

BERNARDO.—¿Cuál?

ELSA.—Un libro de Freud. Freud asegura que las gentes que se pasan la vida haciendo chistes están enfermas de imbecilidad.

RICARDO.—No hay nada más peligroso que poner un libro en las manos de una mujer. En seguida nos tira con él a la cabeza.

BERNARDO.—¿Quieres irte de aquí y dejarme platicar con Elsa?

RICARDO.—¡Oh! ¡Oh! ¡Oh! ¿Le has dado una cita en esta casa, tú también?

ELSA.—Bobo.

BERNARDO.—No es asunto tuyo. Déjanos respirar un poco. Vete a tu cuarto.

RICARDO.—De ningún modo. Una cuarta parte de la sala me pertenece. Me quedo.

BERNARDO.—Bien. ¿Quieres venir a la terraza, Elsa? *(Se levanta y toma dos sillas)* Allí el aire será menos fresco que aquí.

ELSA.—Déjame ayudarte. *(Toma una de las sillas)* En realidad, Ricardo, me da tanta pena que seas así...

RICARDO.—¡Oh, por mí no te dé pena!

ELSA.—No es por ti, Ricky. Ya sé que no tienes remedio. Es por no poder hacer nada. . .

RICARDO.—Gracias.

ELSA.—*(Dulce, siempre dulce)* Pero, sabes, cada vez que se habla de un tonto, todo el mundo en la familia te toma por punto de comparación. ¿Como Ricardo? ¿Menos que Ricardo? ¿Más que Ricardo? Y entonces todos dicen: ¡Oh, mucho menos!

Bernardo ríe y sale con su silla seguido por Elsa.

RICARDO.—*(Ofendido)* Sólo espero que te cases con Bernardo. Te merece.

Se sienta y enciende un cigarro. Toma el martillo y juega con él. Luego busca con los ojos un asiento, elige el opuesto, se dirige a él e instala allí el martillo cuidadosamente bajo un cojín. Silba. Suena el timbre de la puerta. Después de una pausa. Ricardo, fastidiado, se dirige a abrir.

ROBERTO.—*(Dentro)* ¿Qué tal, Ricardo?

RICARDO.—¿Es usted? Pase, Roberto.

ROBERTO.—*(Entrando)* Quisiera hablar con Herminia. . . es urgente. ¿Quiere usted avisarle?

RICARDO.—Con mucho gusto. Pero dígame una cosa.

ROBERTO.—¿Cuál?

RICARDO.—¿Qué es lo que ve usted a mis hermanas?

ROBERTO.—¿Qué quiere usted decir?

RICARDO.—¡Oh, no conteste con preguntas! Lo que quiero decir es ¿cómo puede usted conversar tanto con ellas? Yo no las soporto más de cinco minutos.

ALEJANDRO.—*(Arriba)* ¡Victoria!

VICTORIA.—*(Desde el comedor)* ¿Qué quieres?

ALEJANDRO.—¿Se va a cenar ya en esta casa?

190

VICTORIA.—Puedes bajar cuando quieras.

ROBERTO.—Espero no importunar.

RICARDO.—No se preocupe usted. Aquí somos los de casa los que importunamos a las visitas. Voy a llamar a Herminia.

Sale. Alejandro, en bata, acaba de bajar y se dirige a un asiento.

ROBERTO.—Buenas noches, Alejandro.

ALEJANDRO.—*(Seco)* Buenas noches.

VICTORIA.—*(Desde el comedor)* En un momento, Alex.

ROBERTO.—Día caluroso, ¿verdad?

ALEJANDRO.—Se dice que los días de verano son calurosos, ¿verdad?

ROBERTO.—Sí. ¿Quiere usted fumar?

ALEJANDRO.—No.

RICARDO.—*(Volviendo)* Herminia vendrá en seguida, Roberto.

ALEJANDRO.—*(Que se ha sentado sobre el martillo)* ¡Auch! Otra vez han puesto aquí esta maldita cosa. *(Lo arroja al suelo)*

RICARDO.—¡Mi martillo! Lo he estado buscando por dondequiera.

ALEJANDRO.—Un día voy a tirártelo a la calle. . . o a la cabeza.

RICARDO.—Yo siento no poder tirártelo a la cabeza. . . tendría que sufrir una alucinación para ello.

ALEJANDRO.—¿Es otro chiste? Me enferman ya los que haces.

RICARDO.—Si tuvieras cabeza; pero, además, eres inmortal. Empiezo a temerlo. A Victoria le sentaría el luto como a Electra.

ALEJANDRO.—¡Imbécil!

RICARDO.—No necesitas exagerar; hago lo que

puedo por alcanzarte, pero no lo lograré nunca. *(Durante estas frases Roberto fuma con impaciencia. Va a tirar la ceniza en un cenicero)* ¡No haga usted eso! Perdone. . . es que hay tantos ceniceros aquí, que verdaderamente no sabe uno dónde tirar la ceniza. Pero puede usted usar la alfombra.

ROBERTO.—*(Incómodo)* ¿Bromea usted así por costumbre?

RICARDO.—¡Oh, no!, se lo aseguro. Es por filosofía.

ALEJANDRO.—Yo lo llamaría estupidez.

RICARDO.—¡Oh, tú, claro! Siempre pones tu firma dondequiera.

HERMINIA.—*(Entrando)* Es un milagro, Roberto. Parece que los hombres sí los hacen. *(Le tiende la mano)* Siéntese.

ROBERTO.—*(Sentándose frente a ella)* Esperaba encontrarla triste. . . preocupada siquiera; parece usted más bien alegre.

VICTORIA.—*(Apareciendo en la entrada del comedor)* ¡Roberto! Buenas noches.

ALEJANDRO.—Ya era tiempo. *(Se levanta)*

ROBERTO.—*(Un poco incómodo, se levanta y va a dar la mano a Victoria, estorbando así el paso de Alejandro)* ¿Cómo está usted? *(Tiende la mano, igual que Victoria, a tiempo que Alejandro pasa sin ceremonias entre ellos)*

VICTORIA.—*(Irritada)* ¡Alex!

ALEJANDRO.—*(Sin volverse)* Cuando tus atenciones sociales te dejen tiempo. . .

RICARDO.—¿Quieres cenar, no es eso? ¡No eres el único! ¿Tú sabes cuántas gentes quieren cenar a esta hora? Yo también. ¿Usted no, Roberto?

ROBERTO.—Perdón.

RICARDO.—¿Usted no quiere cenar?

ROBERTO.—Oh, no, gracias.

RICARDO.—Si toda la gente tuviera la discreción de usted. . . *(Pasa al comedor)*

VICTORIA.—*(Después de una larga mirada a Roberto)* Perdóneme. . . tengo que alimentar a estas fieras. Si no se va usted pronto, podremos charlar un poco.

ROBERTO.—Creo que. . . después de esto. . . *(Mira al comedor)*

Victoria baja la cabeza.

VICTORIA.—Quiero hablarle de todos modos. . . precisamente por eso. *(Sale al comedor)*

ROBERTO.—*(Volviéndose a Herminia)* Creo que mis visitas son poco apreciadas por Alejandro.

HERMINIA.—¿Qué importa? Yo las aprecio. . . y temo que también Victoria.

ROBERTO.—¿Por qué dice usted eso?

HERMINIA.—Por nada. ¿Quería usted hablarme?

ROBERTO.—Vengo de ver a Raúl.

HERMINIA.—Siéntese aquí, ¿quiere? *(Lo lleva al sofá izquierda, el más alejado del comedor)* Prefiero que no oigan. *(Se sientan)* He estado pensando en usted todos estos días. ¿Qué digo días? Semanas que no ha venido a visitarme. He estado pensando. . . Usted es novio de Magda, ¿verdad?

ROBERTO.—Lo fui. Todos cometemos errores.

HERMINIA.—Es una chica muy mona. No es bonita, pero tiene una figura agradable hasta cierto punto. Lo quiere. ¿Por qué rompió usted con ella?

ROBERTO.—No me quiere. Porque el amor es un milagro. . . y la mujer no los hace.

HERMINIA.—Querría que me contara usted. . .

ROBERTO.—¡Oh!, no vale la pena. Sería abrir una

puerta cerrada. ¿Es verdad que riñó usted anoche con Raúl?

HERMINIA.—¿A qué llama usted un milagro?

ROBERTO.—¿Es verdad que...?

HERMINIA.—Conteste usted primero.

ROBERTO.—Un milagro es simplemente una cosa natural... por ejemplo... ¡Oh! ¿Para qué?

HERMINIA.—Dígame.

ROBERTO.—Llegar a tiempo a una cita... dedicar el tiempo a vivir en vez de reñir... hacer del amor un trabajo de pulimento de sí mismo, hasta sacar a la superficie lo mayor de uno... un encuentro y no un choque.

HERMINIA.—*(Riendo)* Pide usted demasiado. Lo único que pule a las gentes en el amor es precisamente el choque.

ROBERTO.—¿Es cierto que riñó usted con Raúl?

HERMINIA.—¿Otra vez?

ROBERTO.—No ha contestado usted.

HERMINIA.—Cuando se pone usted así... perdóneme, es insoportable. Bien, sí.

ROBERTO.—¿Por qué?

HERMINIA.—¡Oh!... como usted dice, no vale la pena.

ROBERTO.—Pero Raúl está desesperado.

HERMINIA.—¿Sí? Puede tranquilizarse. No he roto con él. Esta noche en cambio, Mario estuvo aquí.

ROBERTO.—Herminia...

HERMINIA.—No se asuste usted... no me he reconciliado con él. Quería una explicación... yo no salí... lo dejé en las manos de la familia, de modo que usted se imagina ya cómo le fue. La ruptura es completa al fin. Por eso estoy contenta.

ROBERTO.—Raúl se alegrará.

HERMINIA.—¿Y usted?

ROBERTO.—Hemos temido tanto que las cosas se descompusieran... tenido miedo de que...

HERMINIA.—Raúl, no... quizás usted...

ROBERTO.—Lo juzga usted mal. Además, Guzmán es impulsivo.

HERMINIA.—Pero yo no soy... espero... una heroína de nota roja.

ROBERTO.—¿Por qué ese pleito anoche con Raúl? ¿Por qué se empeñan los dos en desperdiciar los momentos más luminosos de su vida? El amor es duro... pero no dura tanto. Estoy disgustado con usted.

HERMINIA.—¿Está usted enamorado de alguien, Roberto?

ROBERTO.—No se trata de mí. Contésteme. ¿Por qué?

HERMINIA.—Está usted alterado, como si estuviera sucediendo una tragedia. Pero si no ha pasado nada.

ROBERTO.—Raúl ha llamado siete veces hoy por teléfono y usted se ha negado... le ha hecho saber que se negaba.

HERMINIA.—Necesita enfriarse un poco. No pienso romper con él porque sería una tontería... cuando apenas empezamos; pero no volveré a dar ocasión a que se repita el incidente de anoche... en el baile. ¿Por qué no fue usted al baile?

ROBERTO.—¿Qué fue lo que pasó?

HERMINIA.—Nada. Raúl tiene el amor serio, formal. Yo hice una pequeña locura. Para mí el amor tiene sobre todo un valor íntimo... es algo que crea la intimidad entre dos personas aunque estén entre mil. Raúl no quiere eso. El deja su intimidad en su casa, junto con su bata y sus pantuflas. Hace bien. Simplemente no volveré a hacer lo que hice anoche. Eso es todo.

ROBERTO.—Pero, ¿qué hizo usted?

HERMINIA.—Es una tontería.

ROBERTO.—¿Qué, en fin?

HERMINIA.—Me sentí de pronto en esa intimidad... y es curioso, era la primera vez que me sentía así con Raúl... y lo rocé con los labios mientras bailábamos. El... me apartó.

ROBERTO.—No puedo creerlo.

HERMINIA.—No volveremos a bailar, eso es todo, o yo contendré mis impulsos. En realidad, no tiene importancia.

ROBERTO.—Parece tan extraño. Pero hubo algo más. Usted lo hizo acompañarla al telégrafo.

HERMINIA.—¿También sabe usted eso? No cabe duda que Raúl lo mantiene muy al corriente de nuestras relaciones.

ROBERTO.—Sé todo lo que me interesa de quienes me interesan.

HERMINIA.—¡Es curioso! Usted fue mi amigo antes de conocer a Raúl, ¿no es cierto?

ROBERTO.—Unos meses antes.

HERMINIA.—Y ahora no vive usted más que para él.

ROBERTO.—No es verdad. ¿Para qué fue usted al telégrafo?

HERMINIA.—Quería enviar un telegrama.

ROBERTO.—¿A quién?

HERMINIA.—¿No pregunta usted demasiado?

ROBERTO.—Raúl me ha dicho que a un antiguo novio de usted... ¿para qué?

HERMINIA.—Un chico muy mono... y muy rico. *(Roberto la mira)* A Raúl le estorba un poco mi dinero... el dinero que no tengo ya. Todo México sabe que las Rosas se han marchitado económicamente. Hasta ha circulado el chiste así. Raúl me trata como si fuera yo rica. . . me habla continuamente de que es pobre. ¿No creerá que así dejará de serlo?

ROBERTO.—No veo la relación.

HERMINIA.—Le dije, simplemente, que si quisiera yo casarme con un hombre rico, podía hacerlo en cualquier momento. El se sonrió. Entonces le pedí que me acompañara al telégrafo. . . no vaya usted a pensar que le obligué.

ROBERTO.—¿Qué puso usted en ese telegrama?

HERMINIA.—¿Sabe usted que esto parece un interrogatorio?

ROBERTO.—Perdóneme. No creí que pudiera juzgarlo así.

HERMINIA.—Será la última de sus preguntas que conteste. Decía, sencillamente, esto: Si todavía quieres casarte conmigo, estoy dispuesta.

ROBERTO.—¿Pero entonces rompe usted con Raúl también? No lo quiere usted.

HERMINIA.—Me lo reprocha usted como si fuera un crimen. Después de todo, yo no conozco casi a Raúl. Sin embargo, creo que lo quiero. . . y no rompo con él.

ROBERTO.—Ese telegrama. . .

HERMINIA.—*(Sonriendo)* Aquí está la respuesta. *Le tiende un telegrama que Roberto lee.*

ROBERTO.—Pero entonces. . . este hombre va a tomar un avión pasado mañana para venir a México. ¿Qué hará usted cuando esté aquí?

HERMINIA.—Oh, no llegará a tomar el avión. Me alegro de que haya usted venido inclusive. Voy a rogarle que ahora que se marche deposite este otro telegrama. *(Se lo tiende)* Puede usted leerlo.

ROBERTO.—*(Lee maquinalmente)* "Tan amable como siempre. Gracias. Olvídame". Pero... pero... *(Estallando)* ¿Cómo puede usted... cómo se atreve a jugar de este modo con los sentimientos de los hombres? Es usted tan inconsciente y tan absurda como todas las mujeres. ¡Y yo que la creía diferente!

HERMINIA.—*(Asustada)* ¡Roberto!

ROBERTO.—Juega usted con Raúl, como jugó con Guzmán. Juega con este hombre también. Le promete, le hace creer, esperar, lo pone usted en movimiento sabiendo de antemano que está usted mintiendo, y todo lo que se le ocurre decir es: "Tan amable como siempre. Gracias. Olvídame". ¡Gracias! Puede usted destruir la vida de un hombre, y todo lo que dice es gracias... lanzarlo, qué sé yo, a la desesperación, al horror del amor y de la mujer, y todo lo que dice es: "Olvídame". Me ha engañado usted a mí también... ha jugado conmigo haciéndome creer en lo de una chica excepcional...

HERMINIA.—No. Con usted no es posible. Es demasiado serio... y no me quiere.

ROBERTO.—Se da usted cuenta, sin duda, de que es una de esas pocas mujeres de las que siempre están algo enamorados todos los hombres... aun a pesar suyo. Y lo explota, lo explota suciamente.

HERMINIA.—Usted, por lo menos, no está enamorado de mí, como todos los hombres. No tiene por qué excitarse.

ROBERTO.—No piensa usted en la noche que ha pasado Raúl... ni en los estados de ánimo tan opuestos a que ha arrojado a este otro hombre con sus telegramas. Obra usted con una coquetería incalificable, pisotea los sentimientos de los hombres, y lo encuentra natural y sencillo, y dice...

HERMINIA.—Gracias. Olvídame. Eso es lo que hacen todas las mujeres, según los hombres. ¿Me encuentra usted vulgar?

ROBERTO.—No podría, aunque quisiera.

HERMINIA.—¡Ah!

ROBERTO.—Es decir, creo, como Nietzsche, que la mujer ni siquiera es vulgar.

HERMINIA.—¡Ni siquiera! ¿Quiere usted no citar autores por una vez, hablar con sus propias palabras y no con las ajenas?

ROBERTO.—No hay una sola mujer entonces en quien valga la pena creer. En las mujeres no se cree. . . se las toca, se las toma, se las deja. Y pensar que yo creía en usted como en un ser excepcional.

HERMINIA.—Y creer que yo pensaba en usted como en un hombre espiritual.

ROBERTO.—En efecto, para ustedes las mujeres el espíritu es un artefacto suelto en una gran caja, una cosa idiota desligada de todas las demás. . . una especie de niño enfermo, retrasado, a quien no se saca al aire porque se contamina. Lo separan del cuerpo, de la vida y de todo. Pero, claro, no tienen la menor idea de lo que es el espíritu. . . ni el menor espíritu. Espíritu y mujer se excluyen.

HERMINIA.—Claro. ¿Pero, qué le importa a usted todo esto? Usted no es Raúl, a usted no le he enviado un telegrama. . . Parece usted otro, Roberto.

ROBERTO.—Ahora veo que nunca me ha conocido usted, Herminia, tiene que rectificar en seguida. Su conducta ha sido odiosa.

HERMINIA.—Si quiere usted, puedo todavía casarme con Fernando.

ROBERTO.—¿Quién es Fernando?

HERMINIA.—El chico del telegrama.

ROBERTO.—Tiene usted que llamar a Raúl... tiene que explicarle... Raúl la adora. Ahora comprendo por qué estaba así. No tiene ninguna experiencia de las mujeres y usted le ha mostrado estos... bajos fondos.

HERMINIA.—Me reiría de usted si no me diera pereza. ¡Raúl! ¡Raúl! Raúl no tiene ninguna experiencia de las mujeres; pero usted sí la tiene. ¿Por qué se escandaliza como si fuera él? ¿O se escandaliza usted por poder?

ROBERTO.—No se trata de mí, sino de él. Llámelo, Herminia. Comprenda. Ustedes dos lo tienen todo en las manos y lo despilfarran en pequeños pleitos, en tonterías, en gestos de orgullo. ¿Por qué son, por qué tienen las gentes que ser siempre más bajas que su amor? Lo regatean y lo escatiman todo.

HERMINIA.—*(Mirándolo profundamente, con una ironía extraña)* No... no llamaré a Raúl. Pero si él vuelve a llamarme, contestaré para decirle qué gran amigo tiene en usted. Estoy ofendida, Roberto... pero un poco emocionada también.

ROBERTO.—Usted me ha robado mucho de mi fe en usted. Por mucho tiempo ya no podré decir como antes: Es cierto que las mujeres son necias, bajas, insoportables, que lo miden todo con gotero, hasta el sentimiento; que me han engañado, mentido, desdeñado, adulado, que no me han comprendido nunca... pero Herminia no es así. Es cierto que no creo en ellas, que ninguna conoce el valor de la acción ni la simplicidad del verdadero amor... pero Herminia no es así.

HERMINIA.—Roberto...

ROBERTO.—Ya no podré decirlo. Pero llame usted

a Raúl, no se sustraiga a ser leal y recta y sencilla. Llámelo.

HERMINIA.—*(Después de pausa)* Muy bien. Lo llamaré. ¿Pondrá usted ese telegrama?

ROBERTO.—Lo pondré... aunque me siento como un criminal.

HERMINIA.—*(Burlándose otra vez)* Si prefiere usted lo contrario.

ROBERTO.—¡Herminia!

HERMINIA.—Quiero decir, si prefiere usted no ponerlo.

ROBERTO.—Así estaré más tranquilo.

HERMINIA.—Veo que no confía usted en mí.

ROBERTO.—Ya no. Hubo otra vez que confié en una mujer. Le escribía cartas llenas de expectación, desbordantes de expectaciones. Usaba la palabra cada dos líneas. Un día ella me dijo que no se escribía con x, sino con s.

HERMINIA.—¿Y no es así?

ROBERTO.—Quizá las expectaciones femeninas lo sean... Son tan flojas, tan poco expectantes. El otro día, por casualidad, abrí un diccionario en la palabra misma. Naturalmente, se escribe con x, y yo pasé tres o cuatro años poniéndola con s, porque había creído en una mujer. *(Herminia se echa a reír)* ¿Se ríe usted?

HERMINIA.—Sí... perdóneme... no me río de usted... sino de la ingenuidad de lo que me cuenta.

ROBERTO.—Podría contarle cosas menos ingenuas. La historia de cierto telegrama... ¿Va usted a llamar a Raúl?

HERMINIA.—En seguida. *(Se levanta, le tiende la mano)* ¿Por qué no viene usted a verme mañana?

ROBERTO.—Perdón, no me despido todavía. Espero a que haga usted esa llamada; yo no veré ya hoy a

Raúl, y quiero asegurarme de que queda tranquilo.

HERMINIA.—¿Quiere usted venir al teléfono conmigo?

ROBERTO.—No lo creo necesario.

HERMINIA.—Gracias por la confianza. *(Va hacia el primer término derecha. En la puerta, se vuelve)* Dígame, Roberto.

ROBERTO.—¿Qué?

HERMINIA.—Sé que no sólo ha dejado usted de verme a mí estas semanas; también a Raúl. Sin embargo, antes se veían diariamente.

ROBERTO.—Raúl tiene quehacer... y yo también

HERMINIA.—¿Podría usted venir aquí con él, y vernos a los dos a la vez, no?

ROBERTO.—*(Seco)* No me agrada ser tercero. Gracias.

HERMINIA.—Tampoco quiso usted ir al baile anoche, ¿por qué?

ROBERTO.—Bailo mal... me aburro en los bailes, aburro a los demás.

HERMINIA.—Yo le había pedido que fuera.

ROBERTO.—Usted iba allí para bailar con Raúl.

HERMINIA.—Buen resultado me dio. *(Gesto de Roberto)* Nada, nada. *(Lo mira)* Es usted raro.

ROBERTO.—¿Por qué dice usted eso? Toda la gente vulgar me lo dice. Usted...

HERMINIA.—Yo ni siquiera soy vulgar. ¿No es eso, según Nietzsche?

ROBERTO.—Empiezo a creer que podría usted ser muy mala si quisiera. Y no quiero que quiera.

HERMINIA.—No se preocupe usted... no me atrevo; me da miedo fracasar. Puede una fracasar en todo; pero fracasar en la maldad me parece un poco ridículo. *(Pausa)* Bien.

ROBERTO.—¿Bien?

HERMINIA.—Voy a llamar a Raúl. ¿Me esperará usted?

El mueve afirmativamente la cabeza. Ella sale primero izquierda, cerrando la puerta. El se sienta en una silla. Por el fondo derecha entra la Señora Rosas, Roberto se levanta.

SEÑORA R.—¿Es usted, señor Dávila? Nadie parece atenderle en esta casa.

ROBERTO.—Por el contrario, señora.

SEÑORA R.—*(Sentándose a la derecha)* No le he dado siquiera las gracias.

ROBERTO.—¿Por qué, señora?

SEÑORA R.—Por su intervención en la ruptura de Herminia con el señor Guzmán. Logró usted en muy poco tiempo lo que yo no pude conseguir en dos años. Espero que no tenga usted que arrepentirse de ello.

ROBERTO.—No veo por qué habría yo de. . .

SEÑORA R.—Yo tampoco. . . pero todo es posible. Ha sido usted muy amable . . y muy oportuno. Sin embargo. . .

ROBERTO.—¿Sin embargo, señora?

SEÑORA R.—No sé. ¿Cree usted en los presentimientos?

ROBERTO.—Lo menos posible, señora. Generalmente cuando presentimos algo, es porque ya ha sucedido o está completamente preparado para suceder. Pero hay gentes que inventan las cosas a veces, creyendo que las presienten.

SEÑORA R.—Eso es justamente lo que temo.

ROBERTO.—No comprendo.

SEÑORA R.—Yo tampoco comprendo muy bien. Mis hijas, que me declaran ya caduca, y que en el fondo son unas chicas bastante anticuadas, pretenden que yo no sé tratar ningún asunto; que aplico a los sentimientos actuales un punto de vista pasado de moda. Como sea, espero que la actuación de usted en esta casa se limite a su feliz intervención en la ruptura de Herminia y en su casamiento con Raúl. Porque debe usted entender que estoy completamente decidida a que Herminia se case con Raúl.

ROBERTO.—Me alegra oírlo, señora.

SEÑORA R.—¿Sí?

ROBERTO.—Es lo que más vivamente deseo.

SEÑORA R.—¿No lo deseará usted demasiado vivamente? *(Roberto va a hablar)* Comprenderá que no me agrada que mi hija cambie de compromiso como de sombrero.

ROBERTO.—Es natural. . . considerando además los sombreros de moda.

SEÑORA R.—Y los compromisos de moda. Es usted una persona muy razonable. Tanto, que me decido a decírselo todo.

ROBERTO.—Usted dirá.

SEÑORA R.—Me parece extraño que un hombre y una mujer puedan ser sólo amigos; pero creo que entre solteros puede pasar. Lo que no está bien, es que un muchacho soltero como usted se cartee con una señora casada. . .

ROBERTO.—Perdón. . .

SEÑORA R.—Como mi hija Victoria. Yo profeso un horror invencible por todos los juegos, pero en particular por los juegos de cartas.

ROBERTO.—Pero, señora, le aseguro que. . .

SEÑORA R.—No hablemos más de ello.

HERMINIA.—*(Entrando violentamente)* Bueno, está usted complacido, Roberto; pero primero me corto una mano que volver a llamar por teléfono a su amigo Raúl.

SEÑORA R.—¿Qué ha pasado, hija?

ROBERTO.—Pero ¿no tiene usted remedio entonces?

HERMINIA.—Nada de sermones. No vaya usted a repetirme todas sus frases de hace un rato. *No voy a romper con Raúl; me casaré con él; pero no volveré a llamarlo nunca.* Puede usted decírselo de mi parte. Y dígale también que no quiero que me mande embajadores en el futuro.

ROBERTO.—Pero, Herminia. . .

SEÑORA R.—Hija, es necesario que te domines mejor.

HERMINIA.—Si supieras cuánto me domino. . . Dígale a Raúl que cuando quiera hablarme, conoce mi dirección y sabe mi número de teléfono.

ROBERTO.—¿Pero, qué le ha hecho usted *ahora?* El no quería más que. . .

HERMINIA.—Me culpa usted siempre. ¡Es un vicio!

ROBERTO.—Si ha sido él esta vez, yo le diré. . .

HERMINIA.—¡Ah, no, Roberto! Ha sido usted admirable, excelente, maravilloso. Pero le suplico que no vuelva a intervenir en este asunto si quiere que sigamos siendo amigos.

SEÑORA R.—Herminia, estás fuera de ti.

ROBERTO.—*(Ofendido)* Muy bien, como usted guste.

SEÑORA R.—No la tome usted en serio.

HERMINIA.—Sabía que no lo sentiría usted. Magnífico. Y que me paseen en burro por las calles, cubierta sólo con mi cabellera. . . *(Sacude su melena corta)*

SEÑORA R.—*(Tendiéndole precipitadamente su chalina)* ¡Hija!

Sale violentamente por el fondo derecha. Los dos la siguen con la vista y luego se miran. Entretanto, Ri-

cardo y Alejandro asoman sigilosamente por el come-
dor. Durante las frases siguientes señalan hacia los
balcones de la terraza y se ríen.

SEÑORA R.—¿Qué consejo tan malo es ese que le
dio usted?

ROBERTO.—Que se disculpara con Raúl por haber procedido mal.

SEÑORA R.—¿No cree usted que en estos asuntos,
como en los toros, lo mejor es mirar de lejos? Las gentes pueden guardarnos rencor a veces por no intervenir en sus asuntos, pero ciertamente jamás nos perdo-
nan que intervengamos en ellos. Por supuesto Herminia no piensa lo que ha dicho. ¡Cubierta con su cabellera! Mañana se excusará, no lo dude usted.

Ricardo apaga de pronto la luz. Sobre el balcón del
centro, realzadas por la luz de la luna, se destacan las
siluetas de Bernardo y Elsa, que se besan. Ricardo y
Alejandro hacen un gran ruido al cual acude Victoria.

SEÑORA R.—¿Qué es esto?

ALEJANDRO.—¡Bravo! ¡Bravo!

RICARDO.—Un momento. ¡Pajarito! ¡Pajarito!

VICTORIA.—¡Bueno! Qué broma más ridícula.

SEÑORA R.—¡Bernardo! ¡Elsa! *(Las siluetas se se-*
paran. Ricardo reenciende la luz. Entran Bernardo y
Elsa) Muy bonito número, hijo mío.

BERNARDO.—Ese debe de haber sido Ricardo.
Ahora comprendo el fratricidio.

ELSA.—Tía. . .

SEÑORA R.—Está muy bien, Elsa. Yo también soy
mujer; pero francamente me desagrada esto.

ALEJANDRO.—Bueno, yo me voy a dormir. Después del baile de anoche, estoy rendido y tengo que
trabajar mañana temprano. Vamos, Victoria.

VICTORIA.—Voy. . . dentro de un momento.

RICARDO.—Sé indulgente con la juventud, mamá, eres tan poco comprensiva. . . tan anticuada.

BERNARDO.—Tú me las pagarás.

SEÑORA R.—Inocente. ¿Crees que me he escandalizado por el beso? Lo que me saca de quicio es que. . .

BERNARDO.—¿Cuál beso? No vayas a decir ahora que faltamos al respeto a la casa, mamá.

SEÑORA R.—Ya lo dijiste tú, hijo mío. ¿Y cómo cuál beso? Me figuro que era una lección de astronomía.

BERNARDO.—*(Yendo hacia Ricardo)* Precisamente, mamá. Pero hay otras maneras de ver las estrellas, y voy a enseñar a Ricardo cuáles son.

SEÑORA R.—Lo que me escandaliza es que Ricardo haya apagado la luz. Eso es morboso.

RICARDO.—*(Pasando junto a su madre para protegerse de Bernardo)* Me sorprendes, mamá, no te creía yo tan moderna.

SEÑORA R.—Eres como todos los jóvenes, hijo. Siempre te parecen modernas las cosas más antiguas. . . ¿Qué tienes?

RICARDO.—Bernardo quiere pegarme, mamá.

SEÑORA R.—Bernardo, a tus años. . . Creo que es tarde para ti ya, Elsa. Tu madre estará inquieta.

ELSA.—Tía. . . no me corres, ¿verdad?

RICARDO.—Oh. No precisamente. Te despide.

SEÑORA R.—No, hija mía. . . pero es mejor que te vayas. Tu profesor de astronomía puede acompañarte.

ELSA.—Bueno, así. . . Hasta mañana.

BERNARDO.—*(A Ricardo)* Te veré más tarde, animal.

RICARDO.—Cuando gustes, idiota. Estaré en mis

habitaciones. *(Se dirige a la izquierda primer término)* ¡Ah! Bernardo. . .

BERNARDO.—*(En la puerta izquierda del fondo)* Me molestas. ¿Qué quieres?

RICARDO.—Molestarte. Te ruego que te anuncies antes de entrar. *(Sale por la izquierda)*

SEÑORA R.—Antes creía yo que mis hijos empeoraban cada día. Estaba equivocada, me parece que se perfeccionan cada vez más en lo insoportables. *(Elsa y Bernardo salen por el fondo)* Voy a ver a Herminia; también ella necesita un calmante, y está cada día mejor en malo. *(Sale por el fondo derecha)*

Victoria y Roberto quedan solos, de pie, después de un momento, se miran.

VICTORIA.—Estoy cansada de esta casa.

ROBERTO.—Creí que era usted feliz.

VICTORIA.—¿Así parece, verdad?

ROBERTO.—Sí.

VICTORIA.—Y yo tengo ganas de un poco de silencio ya, de quietud interior. Aquí es imposible. Todos tienen un demonio dentro. *(Camina unos pasos)* ¿Por qué no ha querido usted venir. . . ni me ha escrito ya? No contestó mi última carta.

ROBERTO.—Victoria. . . su mamá sabe que nos escribimos.

VICTORIA.—¿Y qué?

ROBERTO.—No quiere que continuemos haciéndolo. Me lo ha dado a entender.

VICTORIA.—¡Qué curioso! Ninguna mujer vieja puede comprender una amistad entre hombre y mujer.

ROBERTO.—Yo mismo he comenzado a preguntarme si es posible.

VICTORIA.—¿Qué dice usted? *(Camina unos pasos)* ¿Quiere usted una copa de algo?

ROBERTO.—No... gracias.

ALEJANDRO.—*(Asomando arriba)* ¡Victoria! *(Victoria se yergue)* ¿Qué pasa? ¿A qué hora vas a venir a acostarte?

VICTORIA.—No tengo sueño, ¿sabes?

ALEJANDRO.—Yo quiero dormir. Es hora.

VICTORIA.—Cuando tenga sueño iré.

ALEJANDRO.—Quizá tu visitante lo tenga ya. *(Cierra violentamente la puerta)*

VICTORIA.—¿Tiene usted sueño, Roberto?

El no contesta. Ella se sienta lentamente en el sofá derecha. Mira sus manos. Roberto se acerca. Después de un momento ella levanta la cabeza. Está llorando.

ROBERTO.—No haga usted eso... no llore.

VICTORIA.—Oh, no tiene importancia. En realidad, debería yo estar acostumbrada ya. *(Sonrisa con lágrimas)* Además, no hay peligro. He dejado de pintarme los ojos desde que usted me lo dijo.

ROBERTO.—Creo que será mejor que me vaya.

VICTORIA.—No. Ve usted, Alejandro es un chico excelente... un camarada único. No podría pasarme sin su amistad.

ROBERTO.—Las gentes no se casan para ser amigos, sino esposos. ¿Hace mucho que se casó usted?

VICTORIA.—Dos años. Alejandro y yo nos tratamos por carta únicamente. Las cartas engañan a veces. Quiero decir, siendo ya grandes. De chicos vivimos en la misma casa.

ROBERTO.—Creo que no le gustan mis visitas.

VICTORIA.—No las de usted... ningunas. Su ideal consiste en encontrarme siempre en la cocina. *(Mira sus manos)* Yo quería ser pianista... tocaba bastante bien inclusive. Cuando me casé, empecé a cambiar de profesor cada semana. Ninguno le gustaba a Alejandro.

Entonces decidí seguir sola... pero no me quedaba tiempo para atender la casa. A Alejandro no le gusta tener criados... se educó en Estados Unidos. Discutimos tres meses. Al fin me cansé. Supongo que un día me cansaré de resistir a sus deseos de tenerme en la cocina... dejaré de odiar la cocina.

ROBERTO.—No diga usted eso.

VICTORIA.—¿Por qué no? Pero parece extraño que dos años de matrimonio puedan endurecer, envejecer tanto a la gente. No había vuelto a un baile hasta anoche. Lo extrañé a usted. Me habría agradado tanto bailar con usted... es otra forma de la conversación.

ROBERTO.—(Seco) No sé bailar.

VICTORIA.—Es lástima.

ROBERTO.—Creo que tendré que suspender mis visitas entonces. Herminia se ha enfadado conmigo... y Alejandro quiere que usted esté en la cocina... y yo no puedo hacer nada.

VICTORIA.—¿Se ha enfadado Herminia? Le pasará.

ROBERTO.—Empiezo a creer que no puede uno entrar en las vidas ajenas... que es una especie de delito no castigado legalmente... pero imperdonable.

VICTORIA.—¿No toma usted demasiado en serio una pequeñez? El temperamento de Herminia es cambiante.

ROBERTO.—Herminia procede mal con Raúl... y yo no puedo hacer nada, tampoco. Me ha prohibido que me mezcle en...

VICTORIA.—¿Por qué lo afecta esto? Ellos pueden resolver solos sus vidas.

ROBERTO.—Temo que no. Quisiera...

VICTORIA.—No piense usted en ellos. Sabe, cuando le escribí para disculpar mi tontería en aquella primera entrevista, me puse a pensar. Hacía dos años que no sentía yo el impulso, el deseo siquiera de comunicarme con nadie.

ROBERTO.—No debió usted escribirme. Yo no debí contestarla.

VICTORIA.—Escribe usted muy bonitas cartas.

ROBERTO.—Gracias.

VICTORIA.—¿Ha amado usted a muchas mujeres?

ROBERTO.—¿Por qué preguntar eso?

VICTORIA.—¿Prefiere usted que le pregunte si encuentra calurosa la noche? No quiere usted confiar en mí.

ROBERTO.—No es eso.

VICTORIA.—¿Entonces?

ROBERTO.—¿Por qué me ha hecho usted estas confidencias de su vida matrimonial?

VICTORIA.—Me inspira usted confianza. Dígame... ¿a muchas mujeres?

ROBERTO.—No es posible enamorarse así como así.

VICTORIA.—He oído tantos nombres de mujer en sus labios...

ROBERTO.—Sí... supongo que así es. En realidad, es absurdo... pero usted me hace pensar en ello. Mi vida está erizada de mujeres, de mujeres incompletas, inútiles... Unos ojos, unas manos, una voz, unos labios... nunca una mujer completa.

VICTORIA.—¿Se siente usted solo?

ROBERTO.—Me siento como un pedazo de tierra. un pedazo de soledad rodeado de mujeres por todos lados.

VICTORIA.—No ha encontrado usted verdaderas mujeres.

ROBERTO.—Quizá no. Pero cuando una mujer me

gusta, o me interesa, o me enamora, es fatalmente una mujer indecisa o una mujer imposible.

VICTORIA.—Pero las mujeres no somos indecisas. Necesitamos *algo* para decidirnos... y a veces nada. No cree usted en las mujeres, pero cree en el amor, ¿verdad?

ROBERTO.—Sí. Todavía. No he podido curarme.

SEÑORA R.—*(Apareciendo en el fondo derecha con un libro en la mano)* ¡Victoria! *(Se adelanta al centro)* Oh, qué tal, señor Dávila.

VICTORIA.—¿Por qué lo saludas, mamá? Lo habías hecho antes. Pareces un director de orquesta, que siempre saluda dos veces al primer violín.

SEÑORA R.—Parece que hubiera pasado mucho tiempo. ¿No es verdad, señor Dávila? *(Roberto quiere hablar)* Herminia está un poco arrepentida; mañana lo estará más. No se preocupe usted, pues, por ella. *(Pausa)* Quería decirte, Victoria, que olvidaste esta carta en el libro que estoy leyendo. *(Se la tiende. Victoria la toma sin mirarla)* Quizás el señor Dávila tendrá la amabilidad de ponerla en el correo. Buenas noches, señor Dávila.

ROBERTO.—Buenas noches, señora. *(La señora sale por el fondo derecha después de una larga mirada a Victoria)* Decididamente me he quedado demasiado. Adiós, Victoria. ¿Quiere usted que ponga esa carta en el correo?

VICTORIA.—Es para usted. Iba a enviársela mañana.

ROBERTO.—Oh. Ahora comprendo la actitud de su mamá.

VICTORIA.—¿No quiere usted verla?

ROBERTO.—Preferiría que...

VICTORIA.—Oh, está bien. *(Hace ademán de romper la carta)*

ROBERTO.—No la rompa usted.

VICTORIA.—Es lo mejor. La pobrecita no le interesa. *(La rompe)*

ROBERTO.—¡Victoria!

VICTORIA.—Me había yo equivocado. *(Pausa)*

ROBERTO.—¿Qué contenía esa carta, Victoria?

VICTORIA.—Nada de interés. No vale la pena.

ROBERTO.—Pero yo quiero saberlo.

VICTORIA.—¿De veras?

ROBERTO.—De veras.

VICTORIA.—Quería contarle solamente que soñé con usted. Un sueño extraño, en una especie de bosque. Nos reíamos mucho y gritábamos, y de pronto yo me quedaba sin voz y no podía encontrarla. Entonces pasábamos a una como mina, y golpeábamos las paredes en busca de mi voz. . . como una veta. *(Deja caer los pedazos de la carta)* ¿No es extraño?

ROBERTO.—*(Recogiendo los pedazos de la carta)* Yo también soñé con usted.

VICTORIA.—¿Para qué recoge usted eso? No tiene importancia. *(Pausa. El guarda los pedazos en su bolsa)* ¿Qué soñó usted? Dígame.

ROBERTO.—Una esquina.

VICTORIA.—¿Cuál?

ROBERTO.—Era como si todo el mundo se hubiera convertido en una esquina. . . y yo la esperaba a usted allí. Pero era una esquina extraña, oscura, dudosa, como prohibida. De pronto, usted llegaba en un coche. . . pero era un coche de caballos de alquiler, una "calandria". . . bajaba y se apoyaba en mi brazo. Y aunque era usted muy ligera, los dos nos hundíamos en una gran oscuridad.

VICTORIA.—Qué raro sueño...

Pausa.

ROBERTO.—*(Mirando su reloj)* Voy a irme.

VICTORIA.—Todavía no. Es lástima que no baile usted. El baile fue precioso. Hacía demasiado calor, y al volver a casa me solté el pelo... me sentía tan joven... Alejandro, en cambio, estaba cansado... quería dormir.

ROBERTO.—Victoria, ¿por qué me dice usted todo eso?

VICTORIA.—Por nada. ¿Qué he dicho para que se ponga usted así?

ROBERTO.—Victoria, estoy decidido a acabar con esto.

VICTORIA.—¿Con qué?

ROBERTO.—Hace semanas que me pesa... me he dejado arrastrar por una serie de ideas absurdas. Ve usted... nuestra entrevista, aquel disgusto tonto por Elsa... las cartas de usted, las mías... estos sueños, estas conversaciones...

VICTORIA.—¿No le parece agradable todo?

ROBERTO.—Al principio, sí; ahora es una tortura.

VICTORIA.—No entiendo.

ROBERTO.—*(Levantándose)* ¿Ve usted?... prefiero no volver aquí ya. Herminia puede resolver muy bien sus asuntos sin mí.

VICTORIA.—Pero no piensa usted más que en Herminia. ¿Quiere decir... no volver... nunca?

ROBERTO.—Nunca.

VICTORIA.—¿Por qué?

ROBERTO.—Es absurdo... pero... he llegado a creer que usted estaba enamorada de mí. *(Se vuelve a otro lado)*

VICTORIA.—*(Después de mirarlo, se levanta)* No, Roberto... usted no me quiere.

ROBERTO.—No se trata de mí ni de sus sentimientos, sino de usted. ¿Por qué no deja usted de ser femenina y dice la verdad... si he acertado o si me he equivocado?

VICTORIA.—¿Por qué? No lo sé bien; me parece tan inesperado... Pero estoy segura, en cambio, de que usted no me quiere.

ROBERTO.—¿Por qué no quiere usted hacer un milagro?

VICTORIA.—Pero, Roberto, eso no se hace en sociedad.

ROBERTO.—Perdóneme usted. Me he equivocado otra vez.

VICTORIA.—Probablemente sigue usted una idea fija... pero yo no entiendo...

ROBERTO.—¿Cómo podría usted? Acabo de demostrarle que usted es la mujer que ha dado más pruebas de interés por mí en los últimos tiempos. Enumero sus acciones, sus gestos... siento que estamos hablando el mismo lenguaje o callando el mismo silencio... que estamos en inteligencia; usted me hace confidencias, me dice cosas que no se hacen, que no se dicen, a cualquiera. Esto durante cuatro semanas, y cuando le digo que he llegado a creer que usted me quiere, en vez de contestar como un ser humano, me dice: No, Roberto, usted no me quiere.

VICTORIA.—Es la verdad, Roberto. Otra mujer lo encontraría impertinente... y vanidoso.

ROBERTO.—No tengo tiempo de ser vanidoso.

VICTORIA.—¿No puede una mujer confiar en un hombre entonces? ¿No puede cultivar una simpatía por un hombre sin que parezca un homenaje al macho, sin hacer de él un don Juan de cinco minutos... o de cinco centavos? Es ridículo, Roberto.

ROBERTO.—Es ridículo. Pero, entretanto, no ha contestado usted.

VICTORIA.—No tengo nada que contestar. Le he dicho que usted no me quiere. Es cierto, y es todo cuanto puedo decirle.

ROBERTO.—Pues si quiere usted oír la verdad, no. Una mujer no puede confiar, como usted dice, en un hombre. No puede sacarlo de sí impunemente. Cuando yo vine a esta casa, no pedía nada, no buscaba nada más que ayudar a un amigo. Usted se encargó de lo demás.

VICTORIA.—¿Cómo puede usted acusarme?

ROBERTO.—Usted se encargó de que yo recordara que soy joven... que puedo querer, que puedo ser querido. Bien, no iba a pedirle nada más que eso. Sé que es usted lo que se llama una mujer honrada, es decir, la peor, la más abominable de las mujeres fatales.

VICTORIA.—¿Cómo se atreve usted...?

ROBERTO.—Una mujer que puede inocentemente hacer tanto daño que la cortesana más baja la envidiaría. Lo sé muy bien. ¿Sabe lo que quería de usted?

VICTORIA.—Me lo imagino, y le prohibo que lo diga.

ROBERTO.—No... no quería una aventura estúpida, vulgar como tal vez piensa usted, sino una sola cosa. Quería lo posible o lo imposible. Que me dijera usted: Lo quiero, pero mi vida está hecha, y no puedo dar ningún alimento a este amor...

VICTORIA.—Le ruego que...

ROBERTO.—Y me habría bastado esa conciencia para ayudarme a vivir lejos de usted. Decir: Me quiere.

VICTORIA.—¿Me permite usted que diga yo una palabra?

ROBERTO.—¿Qué podría usted decir? Eso hubiera sido lo posible, lo decoroso. O bien, lo imposible. Decirme: Estoy casada con un hombre que no me comprende y a quien no quiero... que pretende confinarme en una cocina, que tiene sueño cuando yo me siento joven y desato mis cabellos. Lo quiero a usted y me divorciaré de ese hombre para casarme con usted.

VICTORIA.—Pero...

ROBERTO.—Pero lo posible y lo imposible eran igualmente milagros, y por eso no ha podido usted hacerlo... porque la mujer no hace milagros. *(Se dirige violentamente al pasillo del fondo izquierda)*

VICTORIA.—¡Roberto! Un momento. *(El se detiene junto a la puerta de salida. Ella se dirige hacia él)* Ya ha dicho usted todo lo que tenía que decir.

ROBERTO.—¿Yo? No.

VICTORIA.—Déjeme hablar ahora.

ROBERTO.—Hable usted; nadie se lo impide.

VICTORIA.—Tiene usted una imaginación portentosa. No usaré muchas palabras; no tendría caso. Tiene usted razón. Váyase y no vuelva. Cuando reflexione más tarde, verá que ningún hombre debe poner a ninguna mujer en la situación en que usted me ha colocado esta noche. Podría decir que ha falseado usted mis confidencias y mis actitudes como si le hubiera dado a guardar una carta privada y usted la hubiera leído o enseñado. Pero creo que ha obrado usted sin premeditación y que no tiene la menor experiencia de las mujeres.

ROBERTO.—¿No?

VICTORIA.—Lo que se llama ninguna. Nada de esto

quita la única verdad que se ha dicho aquí esta noche... que he dicho yo. Usted no me quiere, y me lo ha demostrado plenamente. Es todo.

ROBERTO.—¿Después de esto, espera usted que yo me marche... y ya?

VICTORIA.—Hace un momento quería usted irse a caballo y por la ventana. Hágalo ahora a pie, y por la puerta.

ROBERTO.—No me iré. ¿Cree usted que con lo que dijo se acaba todo? ¿Que no me queda nada que contestar? Me quedan muchas cosas. En primer lugar, su incalificable coquetería...

VICTORIA.—¿Qué dice usted?

ROBERTO.—¡Digo su coquetería!... Es feroz.

VICTORIA.—Considerando que ésta es la última vez que nos vemos, podría usted hacer un esfuerzo por ser menos grosero.

ROBERTO.—Lo siento... no tengo tiempo. Toda su indignación, su pequeño discurso, su actitud de mujer traicionada, no han tenido más que un objeto: obligarme a una confesión. Simplemente quiere usted hacerme decir que la quiero. Así su carnicera vanidad femenina quedará satisfecha.

VICTORIA.—Se equivoca usted completamente. No tengo el menor interés...

ROBERTO.—Se muere usted por oírlo. Es mujer en la acepción... digamos filosófica de la palabra... en la peor de todas las acepciones.

VICTORIA.—*(Dirigiéndose a la escalera)* No quiero oír nada más.

ROBERTO.—*(Cerrándole el paso)* Oirá usted... pero no lo que quiere.

VICTORIA.—Ni una sola palabra.

ROBERTO.—Ya le he demostrado su incapacidad,

su cobardía para hacer lo posible o lo imposible. ¿Por qué se empeña usted entonces en recibir una declaración inútil?

VICTORIA.—Yo no me empeño en nada... Usted...

ROBERTO.—Hablaba usted del halago del macho... bien, busca usted el halago de la hembra... saber, oír que el hombre la quiere, para reírse de él probablemente, así como hay gentes que cortan una rosa para tirarla en seguida. Jugar con lo más secreto, con lo más delicado de un hombre...

VICTORIA.—Déjeme pasar. Por última vez, no quiero oír nada.

ROBERTO.—¿Quiere usted que le diga que la quiero? ¿Para qué?

VICTORIA.—No es verdad. No quiero.

ROBERTO.—Pero si no ha hecho usted más que provocarme a ello. "No, usted no me quiere"... eso es cuanto ha podido decir. Quiere que le diga que la quiero, ¿verdad?

VICTORIA.—No.

ROBERTO.—Sí.

VICTORIA.—Quiero que...

ROBERTO.—Que le diga que la quiero...

VICTORIA.—Mentira. No creí que me juzgara usted tan mal.

ROBERTO.—Naturalmente, va a resultar que la ofendida es usted.

VICTORIA.—¡Roberto!

ROBERTO.—Y bien, voy a darle gusto... voy a decírselo.

VICTORIA.—No quiero oír nada.

ROBERTO.—Sí, se lo diré.

VICTORIA.—Repito que no.

ROBERTO.—Así quedará usted satisfecha, orgullosa, halagada de su abyecta condición de mujer.

VICTORIA.—Márchese usted en seguida.

ROBERTO.—No me iré sin decírselo.

VICTORIA.—Pero es que yo no quiero.

ROBERTO.—Y bien. . .

VICTORIA.—¡Cállese usted!

ROBERTO.—La quiero. Está usted complacida. *(Ella se tapa los oídos. El grita más fuerte)* ¡La quiero!

VICTORIA.—*(Poniéndole una mano sobre los labios)* Pueden oírlo. . . me comprometerá usted.

ROBERTO.—*(Retirando la mano de Victoria)* ¿Por qué no lo pensó usted a tiempo. . . antes de hacer lo que hizo?

VICTORIA.—Creía que era usted un amigo, un caballero. . . ¿No comprende que. . .?

ROBERTO.—No comprendo más que una cosa. . . usted me ha excitado a quererla. . . me ha provocado. Yo vivía arrollado como el gusano de Nietzsche. Ahora le daré a usted amor a gritos. . .

VICTORIA.—Roberto. . . Por favor. . .

ROBERTO.—Haré lo que aconseja Picasso; cubriré la ciudad de grandes carteles que digan: Estoy enamorado de Victoria Rosas. Y la firma de Don Juan.

VICTORIA.—¿Se ha vuelto usted loco?

ROBERTO.—En colores amarillo y rojo. . . que taladren la vista.

VICTORIA.—Roberto. . . escúcheme.

Alejandro asoma arriba en este momento.

ALEJANDRO.—¿Qué pasa, Victoria?

VICTORIA.—¿Qué quieres decir?

ALEJANDRO.—¿Vas a venir a acostarte?

VICTORIA.—No.

ALEJANDRO.—Perfecto. Si insistes en esta actitud cerraré la puerta con llave.

VICTORIA.—Es la mejor idea que has tenido en tu vida. Ciérrala.

ALEJANDRO.—Si crees que no lo haré... *(Se oye el portazo arriba)*

VICTORIA.—Era lo único que me faltaba para completar la noche. Váyase usted ya.

ROBERTO.—¿Qué quería usted de mí? Eso es lo que quiero saber. Un confidente, ¿no es eso? Un corresponsal que escribe cartas bonitas... una especie de libro de cabecera... o qué sé yo... un frasco de comprimidos contra el fastidio conyugal... pero sin peligro.

VICTORIA.—Cállese usted ya. En mi vida he tenido una escena tan vergonzosa con nadie, Roberto.

ROBERTO.—O un autómata vestido como un hombre, al que se le aprieta un botón para que diga: "te quiero", como las muñecas dicen papá y mamá.

VICTORIA.—¡Roberto! Me aturde usted, me asusta.

ROBERTO.—Claro... Primero pone usted el coco, y luego... Sabe usted que el autómata, con apretarle otro botón, puede dar un beso. *(Se dirige a ella, que retrocede)* No la tocaré... no tenga cuidado.

VICTORIA.—¡Qué insolencia!

ROBERTO.—Una especie de autómata amoroso de bolsillo es lo que ha querido usted hacer de mí. Pero hay otro botón, y usted lo ha apretado sin darse cuenta, y ha puesto en movimiento a un hombre.

VICTORIA.—Roberto, escúcheme o me iré.

ROBERTO.—Si intenta usted irse gritaré que la quiero.

VICTORIA.—Eso es chantaje. Soy una mujer casada... Ya oyó usted a mi marido.

ROBERTO.—No me hará usted sentir vergüenza alguna con esas frases tardías. Acabo de descubrir que el amor es un sentimiento sin escrúpulos de ninguna clase.

VICTORIA.—Está usted fuera de sí. ¿Por qué no se da cuenta de que todo esto es una invención suya?

ROBERTO.—¿Ah, sí? Inventé las cartas de usted, sus llamadas, sus confidencias. . .

VICTORIA.—Les dio usted un valor que no tenían. Usted no me ha querido nunca.

ROBERTO.—No diga usted eso.

VICTORIA.—Usted ha soñado que me quiere. . . como ha soñado querer a otras; se ha engolosinado con la idea de quererme pero no me quiere.

ROBERTO.—No esté usted repitiendo lo mismo todo el tiempo. Me exaspera. La quiero.

VICTORIA.—Y yo no lo quiero a usted tampoco.

ROBERTO.—¡Al fin! Eso era lo que quería yo que me confesara usted, que ha procedido como la más vulgar de las mujeres. . . que ha querido jugar conmigo.

VICTORIA.—¿Me cree usted capaz de. . .? Pero entonces se desprecia usted demasiado. . . si cree que tan fácilmente se puede jugar con usted.

ROBERTO.—Quizás. No he dicho que hubiera jugado, sino que quiso jugar. Bien. *(Se arregla la corbata)* Tranquilícese usted, señora. Todo ha sido una mentira de los dos. Tampoco yo la quiero.

VICTORIA.—¿Ah, no?

ROBERTO.—No.

VICTORIA.—Así lo había yo dicho. Todo ha sido literatura. Me acusa usted de jugar y de fingir *(suena el teléfono dentro)* . . .y usted ha hecho otro tanto, como un hombre. . . no, como una mujer, en concepto de usted.

ROBERTO.—Yo no miento nunca, señora.

VICTORIA.—¿Y sus gritos?

ROBERTO.—Siento haber gritado. . . la culpa fue de usted. *(Sigue sonando el teléfono)*

VICTORIA.—¿Y sus carteles en colores rojo y amarillo?

ROBERTO.—Señora. . .

VICTORIA.—¿Y su gran pasión por mí?

ROBERTO.—Adiós, señora.

Deja de sonar el teléfono.

VICTORIA.—No. . . sería muy fácil irse. *(Le cierra el paso)* Déjeme decirle una cosa. . . es usted tan incapaz de una gran pasión como cualquier hombre.

ROBERTO.—¡Señora!

VICTORIA.—O como cualquier mujer. ¿Qué había pensado? ¿Que me iba yo a arrojar en sus brazos como las mujeres que ha tratado usted? ¿Que unas cuantas palabras bastarían para hacerme olvidar quién soy? Una aventura fácil. . .

ROBERTO.—Está usted diciendo tonterías.

VICTORIA.—¡Oh!

ROBERTO.—Las aventuras no son fáciles. . . son el arte más difícil del mundo. Para mí una aventura es una obra maestra, un acontecimiento que requiere a una mujer excepcional. Usted no serviría para eso.

VICTORIA.—¿De veras?

ROBERTO.—Absolutamente no. Me alegro de que nos hayamos desenmascarado.

VICTORIA.—Ha echado usted a perder, ha ensuciado una cosa limpia, amable, fina. No puede negar que es un hombre. Lo creía capaz de sentimientos, de firmeza, de discreción. . .

ROBERTO.—Y yo a usted la creía capaz de volar. Pero como todas las mujeres, tiene usted techo.

VICTORIA.—¿Qué dice usted?

ROBERTO.—Digo techo. . . ¿no sabe usted lo que es un techo? Un techo, algo que limita, que impide subir. . . una cosa femenina contra la que casi todos los hombres se rompen la cabeza.

VICTORIA.—*(Aflojando de pronto)* ¡Oh, Roberto! ¿Por qué ha hecho usted todo esto? ¿Por qué ha. . .?

ROBERTO.—*(Después de pausa)* No lo sé. Había pensado callar. Además, me daba miedo parecer fatuo. . .

VICTORIA.—Tenía yo una idea tan alta de usted.

ROBERTO.—Y yo de usted. Veo que hemos roto algo. . . lo siento. Por lo menos hemos aclarado esto. . . podremos respirar mejor. Usted no me quiere, ¿verdad, Victoria?

VICTORIA.—No, Roberto, no lo quiero. Usted tampoco me quiere a mí, ¿verdad, Roberto?

ROBERTO.—No, Victoria, no la quiero.

VICTORIA.—Entonces. . .

ROBERTO.—¿Entonces. . .?

VICTORIA.—¿Amigos?

ROBERTO.—Amigos.

Se dan las dos manos. En este momento se escuchan fuertes martillazos continuados. Por la puerta fondo derecha aparecen la Señora Rosas y Herminia; por la escalera Alejandro, que baja violentamente por el fondo izquierda, Bernardo, que regresa.

SEÑORA R.—¿Qué es eso?

ALEJANDRO.—¿Pero, vamos a vivir en paz alguna vez en esta casa?

SEÑORA R.—¿Qué es lo que ocurre?

BERNARDO.—Es Ricardo, que está cambiando de postura el mar.

Todos se dirigen al primer término izquierda, precedidos por Alejandro, con excepción de Victoria y Roberto, que permanecen al centro y de Herminia que, detenida cerca del fondo derecha, los mira.

ALEJANDRO.—*(Gritando dentro)* Basta ya. Es idiota. Yo quiero dormir.

SEÑORA R.—*(En la puerta derecha)* ¡Ricardo!

ALEJANDRO.—¡Voy a romperte...!

RICARDO.—*(Dentro)* ¡Cuidado! Mucho cuidado con las manos. *(Entra corriendo, perseguido de cerca por Alejandro, que le ha quitado el martillo)*

Un teléfono suena.

SEÑORA R.—¡Ricardo! ¡Ya no eres un niño! Es necesario que te moderes.

RICARDO.—Mira a tu yerno... quiere asesinarme.

Suenan los dos teléfonos.

BERNARDO.—*(Sujetando a Alejandro)* No lo mates. ¿No ves que es un ejemplar único?

ALEJANDRO.—*(Desasiéndose)* Victoria, mañana nos iremos a otra casa. Esto es intolerable ya.

RICARDO.—Será un descanso.

SEÑORA R.—¡Ricardo!

BERNARDO.—Es una falsa alarma, mamá, aquí no habrá descanso mientras no desaparezca Ricardo.

RICARDO.—¿Nos parecemos tanto que me confundes contigo?

HERMINIA.—¡Ricardo!

RICARDO.—*(Melodramático)* ¡Herminia!

ALEJANDRO.—*(Volviéndose ferozmente a Roberto)* Nos iremos a una casa donde no se reciban visitas.

SEÑORA R.—Alejandro, no seas tonto, hijo mío. Perdone usted, señor Dávila.

ALEJANDRO.—¿Tonto, eh? Me cansé de serlo. No quiero que le hagan el amor a mi mujer en mis narices.

HERMINIA.—¿Qué quieres decir?

VICTORIA.—¿Estás loco?

RICARDO.—Otelo. Es el único papel de idiota literario que te faltaba.

BERNARDO.—Ahora está completo.

ALEJANDRO.—Ustedes se callan.

SEÑORA R.—¡Niños!

BERNARDO.—Es una locura familiar ya.

SEÑORA R.—Perdone usted, señor Dávila, le ruego que. . .

HERMINIA.—¿De modo que le hace usted el amor a Victoria, Roberto? Es usted el más hipócrita de los hombres.

SEÑORA R.—Señor Dávila. . .

RICARDO.—Roberto, nunca esperé de usted. . .

BERNARDO.—Naturalmente, es Victoria la culpable.

VICTORIA.—Si callaran ustedes, el mundo sería otro. ¿Ve usted, Roberto?

HERMINIA.—Es imperdonable.

ROBERTO.—Si ustedes permiten, buenas noches.

HERMINIA.—Sí, váyase usted. Espero no volver a verlo nunca.

ALEJANDRO.—¡Magnífico! *(Toma bruscamente por un brazo a Victoria)* Tú y yo nos iremos mañana a una casa en la que no haya más que recámara y cocina. Y ahora. ¡arriba! *(La empuja hacia la escalera. Suenan los dos teléfonos)* ¿Entiendes?

VICTORIA.—*(Desasiéndose bruscamente)* ¡Roberto!

ROBERTO.—*(Desde la puerta)* ¿Qué?

VICTORIA.—Espéreme, Roberto. ¡Me voy con usted!

Sale violentamente con él, pasmado. Confusión general. Todos se miran, incapaces de hablar. Alejandro se deja caer sentado en la escalera; Ricardo en el sofá derecha; Bernardo queda de pie junto al sofá izquierda. De pronto Herminia se echa a llorar a tiempo que se abandona en el sofá izquierda.

SEÑORA R.—¿Qué tienes *tú*, Herminia?

HERMINIA.—Tengo que estar enamorada de Roberto. Acabo de descubrirlo en este momento.

SEÑORA R.—*(Dejándose caer en un sillón del centro)* No cabe duda que eres oportuna.

RICARDO.—Ese pobre muchacho no saldrá vivo de la familia.

TELON

ACTO TERCERO

El mismo salón. La primera noche de otoño a las siete. Es decir dos días después de los acontecimientos ocurridos en el segundo acto. Como si no hubiera pasado el tiempo, toda la familia Rosas, con excepción de Victoria, está instalada en las mismas posiciones que ocupaba al caer el telón del acto anterior. Alejandro en la escalera: la señora Rosas en un sillón del centro; Ricardo en el sofá derecha, Bernardo de pie junto al sofá izquierda; Herminia sentada en el sofá izquierda. Suena el timbre de la puerta.

SEÑORA R.—Contesta, Ricardo.

RICARDO.—Bernardo está más cerca, mamá.

BERNARDO.—Yo estoy pensando. *(Suena un teléfono)*

ALEJANDRO.—No es ocasión de hacer chistes. Contesta ese teléfono.

RICARDO.—Bueno, después de todo, tú eres el marido. Deberías estar más preocupado que nosotros.

ALEJANDRO.—Estoy rendido. He estado contestando llamadas durante cuarenta y ocho horas. Me siento hecho un autómata.

RICARDO.—Has tardado en descubrirlo. Naciste robot.

Suena el timbre de la puerta. Suena el teléfono.

SEÑORA R.—Tendré que hacerlo yo, como siempre.

BERNARDO.—Déjalo, mamá.

ALEJANDRO.—Victoria no tocaría; tiene llave.

SEÑORA R.—¿Cómo pueden ser tan indolentes?

RICARDO.—El problema es: ¿qué contestarás primero: la puerta o el teléfono?

SEÑORA R.—Yo contestaré el teléfono y tú la puerta.

RICARDO.—Eso es lo que saco por meter los dedos entre la puerta y el teléfono.

La señora Rosas se levanta. Suena el timbre de la puerta, suenan los dos teléfonos. La señora Rosas se sienta, desanimada.

BERNARDO.—El problema se complica.

SEÑORA R.—Vamos: Bernardo y Alejandro, contesten los teléfonos. Ricardo, atiende la puerta.

Los tres obedecen morosamente, después de mirarse un segundo. Los timbres continúan sonando.

RICARDO.—*(En la puerta)* Gracias. *(Vuelve)* El cartero. *(Agita una carta)*

BERNARDO.—*(Dentro)* ¿Bueno?

ALEJANDRO.—*(Dentro)* ¡Bueno!

SEÑORA R.—¿Letra de Victoria?

BERNARDO.—*(Dentro)* ¿Quién?

RICARDO.—Sí, con timbre aéreo de la Polinesia. Me faltaba en mi colección.

BERNARDO.—*(Dentro)* ¿Herminia?

SEÑORA R.—Ricardo. . .

ALEJANDRO.—*(Dentro)* ¡Bueno!

RICARDO.—No te alarmes, mamá. En realidad, el sobre viene a máquina. Y es de México. Dirigido al jefe de la casa. *(Lo abre)*

SEÑORA R.—¿Qué es?

BERNARDO.—*(Volviendo)* Te llama Raúl, Herminia.

HERMINIA.—Oh. Dile que no estoy.

ALEJANDRO.—*(Dentro)* ¡Bueno!

BERNARDO.—Díselo tú misma.

Se oye a Alejandro colgar violentamente el auricular.

RICARDO.—¿Te interesas por los servicios de una clínica de maternidad, mamá?

HERMINIA.—Bien, iré.

SEÑORA R.—¿Qué dices?

Herminia sale izquierda, mientras Alejandro regresa y se sienta en la escalera.

RICARDO.—Escucha esto: *(Lee)* "Señora, ¿va usted a tener un hijo? Venga a nosotros. Producto garantizado. Si su niño le sale malo se lo cambiamos por uno bueno".

BERNARDO.—Eso hubiera sido magnífico cuando naciste tú. *(Ricardo hace una bola con el papel y la arroja hacia Bernardo)* Te habrían cambiado en seguida.

SEÑORA R.—¿Quién llamaba, Alejandro?

ALEJANDRO.—Nadie. No contestaron. O quizás era Victoria, y al oír mi voz. . .

BERNARDO.—Tus gritos, se asustó.

ALEJANDRO.—Esta situación es intolerable ya. Hay que hacer algo.

BERNARDO.—Creo que eso te toca a ti.

ALEJANDRO.—A estas horas ya habrá pasado lo peor.

RICARDO.—¡Pobre Roberto!

SEÑORA R.—¿Cómo puedes dudar de tu mujer? Yo tengo una confianza absoluta en mi hija.

ALEJANDRO.—Si hubiera sabido hace dos años qué matrimonio tan infeliz hacía. . .

SEÑORA R.—¿Qué estás diciendo, hijo mío? Los matrimonios nunca son felices o infelices: son discretos o indiscretos. Tú fuiste indiscreto.

ALEJANDRO.—No es un crimen pedir a la mujer de uno que sea doméstica.

SEÑORA R.—Es peor; es una falta. A ninguna mujer le gusta pasarse la vida en una vitrina o en una jaula... menos aún en una cocina. La culpa la tiene tu educación americana.

ALEJANDRO.—Para una mujer educada a la mexicana, Victoria resulta un poco excesiva.

SEÑORA R.—Mientras no salgas de tu error, Victoria no regresará. Para mí, ha querido darte una lección... bastante justa.

ALEJANDRO.—Todo el mundo está contra mí.

RICARDO.—El mundo está demasiado ocupado, hombre.

SEÑORA R.—Tú eres quien está contra todo el mundo.

BERNARDO.—¡El susto que tendrá el mundo!

ALEJANDRO.—¿Quieren dejar de hacer bromas idiotas?

SEÑORA R.—Alejandro, hay un hecho: tú debiste salir antenoche detrás de tu mujer, hablarle, excusarte, convencerla...

BERNARDO.—Y noquear a Roberto.

RICARDO.—Yo confieso que tengo remordimientos... debí salir a salvar a ese pobre chico.

SEÑORA R.—¿Compraron los periódicos de la tarde?

ALEJANDRO.—Yo no me atrevo a verlos.

RICARDO.—¿Qué esperas encontrar en ellos, mamá? ¿El suicidio de Victoria? El único que merece darse un tiro es Alejandro.

ALEJANDRO.—Eres un. . .

RICARDO.—Mucho cuidado, mucho cuidado. Las palabras se disparan solas. Ya ves cómo te resultó a ti. . . dijiste cocina y te salieron cuernos.

ALEJANDRO.—Voy a. . .

SEÑORA R.—Basta, Ricardo. No permitiré que bromees con esas cosas. Tu hermana es intachable.

RICARDO.—Sólo trato de levantarle el espíritu a mi cuñado.

ALEJANDRO.—Si Victoria me quisiera, no se habría ido. Y si regresa será para divorciarnos. Estoy decidido.

SEÑORA R.—¿Por qué te empeñas en ese error? Respondo de Victoria como de mí misma. . . no permitiré que pienses mal de ella. En realidad, es ella la que debería divorciarse de ti.

HERMINIA.—(Volviendo) ¿Alejandro, te gustaría saber dónde está Roberto? ¿Sigues enojado contra él?

ALEJANDRO.—Rabioso.

RICARDO.—Una manera de decir agradecido.

HERMINIA.—Voy a decírtelo.

SEÑORA R.—No lo apruebo, Herminia.

HERMINIA.—Lo siento, mamá. Roberto está en casa de Raúl.

ALEJANDRO.—(Saltando) Voy en seguida.

SEÑORA R.—Herminia, has hecho una cosa muy fea. Y tú, Alejandro, sé prudente. Todo lo que quieres es dar un escándalo. En tu lugar, a mí me interesaría ver a mi mujer, no a. . .

ALEJANDRO.—¿Su amante? Le voy a deshacer todo. . .

RICARDO.—El león despierta.

BERNARDO.—El león de la Metro. Eso debiste hacerlo hace dos noches.

ALEJANDRO.—¿Dónde está mi sombrero?

RICARDO.—No lo necesitas. ¿No ves que has perdido la cabeza?

SEÑORA R.—Alejandro, no hagas más tonterías. Victoria no ha tenido ningún amante, y regresará pronto.

ALEJANDRO.—Pudo regresar antes. En bonito estado regresará ahora. *(Va hacia el fondo)*

RICARDO.—Interesante.

SEÑORA R.—¡Ricardo!

RICARDO.—Encuentro interesante la reacción de Alejandro. Eres maliciosa, mamá.

SEÑORA R.—Y tú, insoportable.

ALEJANDRO.—*(Volviendo)* ¿Dónde vive Raúl, Herminia?

RICARDO.—No se lo digas, Herminia. Hay que evitar la tragedia.

ALEJANDRO.—La dirección, Herminia.

SEÑORA R.—En tu lugar, yo lo pensaría, Alejandro.

HERMINIA.—Raúl vive en la primera de. . . . No, no podría dártela.

ALEJANDRO.—¡Herminia!

RICARDO.—¿La lucha entre el amor y el deber?

HERMINIA.—Comprendo que no debí decirte nada. . . me dejé llevar por un impulso. Pero no quiero que le hagas daño a Roberto.

BERNARDO.—Busca en el directorio, Alejandro.

ALEJANDRO.—¡Qué familia! Bueno, me arreglaré solo. *(Va hacia los teléfonos)*

SEÑORA R.—Es casi increíble que haya tan poca diferencia entre las gentes de hoy y las de ayer. Parece que estoy viviendo hace veinticinco años.

ALEJANDRO.—*(Volviendo)* ¿Por qué no está nunca

en su sitio el directorio de teléfonos? ¿Dónde lo han puesto ahora?

RICARDO.—*(Sentándose ostensiblemente sobre el directorio)* ¿Dónde?

ALEJANDRO.—A ti te arreglaré más tarde. *(Se dirige hacia la puerta)*

RICARDO.—¡Alejandro! Espera. . .

ALEJANDRO.—*(Desde la puerta)* No me molestes. *Suena el teléfono.*

SEÑORA R.—Contesta, Herminia, por favor. *Herminia va a contestar.*

RICARDO.—¿Llevas tu pistola?

ALEJANDRO.—¡Idiota!

HERMINIA.—*(Dentro)* ¿Bueno? *Suena el timbre de la puerta.*

ALEJANDRO.—*(Abriendo)* ¿Qué hay?

HERMINIA.—*(Volviendo)* Alejandro, te llama tu jefe.

ALEJANDRO.—No estoy.

HERMINIA.—Dice que es urgentísimo.

ALEJANDRO.—*(Volviendo del hueco de la puerta con un traje planchado que tira sobre el sofá próximo)* Voy a. . .

Se dirige furioso al teléfono, saliendo por la izquierda.

SEÑORA R.—Hacen mal en exasperarlo. Va a hacer una tontería.

ALEJANDRO.—*(Dentro)* ¡Bueno! Sí. . . sí. . . sí.

RICARDO.—No eres lógica, mamá. Un hombre inteligente, hostigado por las circunstancias, exasperado, puede hacer una tontería; pero un tonto exasperado puede llegar hasta hacer un acto de talento

ALEJANDRO.—*(Dentro)* Pero es imposible. . . tiene usted que darme tiempo.

HERMINIA.—Voy a adelantarme a casa de Raúl. Tengo que impedir que le pase algo a Roberto.

SEÑORA R.—Vas a quedarte tranquila en tu casa.

HERMINIA.—Pero ¿no ves, mamá? Roberto está en peligro.

RICARDO.—¡Ahora tiene remordimientos!

SEÑORA R.—Bastante lo merece Roberto.

ALEJANDRO.—*(Dentro)* Pero, es que yo. . .

HERMINIA.—Mamá, no me importa lo que haya hecho. Tengo que impedir. . .

Sale rápidamente por el fondo derecha. Alejandro cuelga con violencia, adentro, y vuelve con aire abatido.

SEÑORA R.—¿Qué pasa, Alejandro?

ALEJANDRO.—Lo más absurdo. Mi jefe me ordena que salga en seguida a Suramérica para inspeccionar las agencias de la casa.

BERNARDO.—Es un hombre oportuno, sin duda.

RICARDO.—Bello país América, papá. ¿Te gustaría ir allá?

ALEJANDRO.—Pero yo no puedo salir. ¿Cómo voy a irme sin Victoria?

SEÑORA R.—¿Ves? Ahora estás en lo justo. Ha hablado tu corazón.

ALEJANDRO.—Es decir, sin haber dicho a Victoria lo que pienso de ella. . . sin haber entablado mi demanda de divorcio.

RICARDO.—Siéntate, siéntate.

Lo hace sentarse sobre el traje planchado. Herminia, volviendo, se dirige rápidamente a la puerta del fondo izquierda.

SEÑORA R.—¡Herminia! ¿Qué vas a hacer?

HERMINIA.—Ya te lo dije, mamá. *(Sale)*

RICARDO.—¡Va a traicionarte, Alejandro! Va a prevenir a Roberto.

ALEJANDRO.—*(Saltando)* ¿Qué?

SEÑORA R.—¿Es esto una familia?

RICARDO.—Una versión moderna, mamá.

BERNARDO.—Síguela, tonto, y así llegarás al mismo tiempo que ella.

ALEJANDRO.—Gracias, tonto. *(Sale con rapidez)*

SEÑORA R.—¡Alejandro! Bonita la han hecho ahora.

RICARDO.—*(Agradablemente, a Bernardo)* El pobre Alejandro está tan abrumado por la pena, que se sentó sobre tu traje recién planchado.

BERNARDO.—¿Eh? El muy... *(Se dirige al traje, lo toma, y luego lo deja caer, riendo)* Es el tuyo, idiota.

RICARDO.—*(Dejándose caer sobre el traje)* ¡Oh!

SEÑORA R.—Cuando acaben ustedes de decir tonterías, quiero hablarles. Estoy preocupada.

BERNARDO.—¿Por qué, mamá?

SEÑORA R.—Por Victoria.

BERNARDO.—Dices que confías en ella. Si nosotros no hemos hecho nada es porque tú nos lo has impedido.

SEÑORA R.—Y confío en ella, absolutamente. Pero empiezo a inquietarme. Pensé que por lo menos a mí me avisaría dónde estaba.

BERNARDO.—¿Entonces tienes temores?

SEÑORA R.—No la temo a ella... es mi hija y la he educado yo. Temo al escándalo.

RICARDO.—Tranquilízate, Roberto es un muchacho muy bien. Habrá llevado a Victoria a un lugar discreto.

SEÑORA R.—¡Oh, Dios mío, no digas eso!

RICARDO.—¿Por qué no?

SEÑORA R.—¿No sabes que generalmente se llama lugares discretos a aquellos en los que las gentes se entregan a las mayores indiscreciones del mundo? Espero que no haya sido así.

RICARDO.—Bueno. . . yo no tengo tanta experiencia como tú.

SEÑORA R.—Monigote insolente. ¿Cómo voy a esperar que respetes a tu hermana cuando no respetas a tu madre?

RICARDO.—Si la respetara, no la adoraría. *(Le besa la mano)*

BERNARDO.—Si Victoria ha hecho lo que tú imaginas, mamá, darle una lección a su marido, no hay ningún peligro de escándalo.

SEÑORA R.—No lo sé. Es muy poco lo que el gran mundo necesita para escandalizarse.

RICARDO.—¿Por qué lo llaman el gran mundo? ¡Es tan pequeño!

BERNARDO.—Mamá, en México el gran mundo no existe más que en las esferas revolucionarias, a las que nosotros no pertenecemos.

SEÑORA R.—La gente es malévola. Si el mismo Alejandro cree a Victoria capaz de un mal paso, ¿qué no pensarán los demás?

RICARDO.—Los demás nunca piensan. . . hablan. Alejandro tartamudea.

SEÑORA R.—Alejandro tiene una posición magnífica. Si hubiera escándalo, la perdería. Creo que Victoria exagera; ya debía haberse comunicado conmigo.

BERNARDO.—A mí me parece todo absurdo. . . y feo en realidad.

RICARDO.—Adónde va a resultar el puritanismo de la familia. No cabe duda que estaba bien escondido.

SEÑORA R.—Por lo demás, yo tendré que hablar con Victoria. Entretanto si viene alguien hay que guardar la reserva más absoluta sobre todo esto.

BERNARDO.—Creo que no necesitas hacernos recomendaciones, mamá.

237

RICARDO.—Yo estoy tranquilo: el escándalo me parece inevitable, mamá. Si nc lo da Victoria, lo dará Herminia.

SEÑORA R.—¡Enamorada de Roberto! Lo presentía yo, pero Roberto me aseguró la otra noche que Herminia se casaría con Raúl.

RICARDO.—El pobre tiene todavía esperanzas de salvarse, eso es todo.

SEÑORA R.—Y no permitiré que sea de otro modo. Ahora necesito decirles una cosa. Siéntense, ¿quieren?

RICARDO.—Sospecho algo malo detrás de esa amabilidad. Pero es mejor estar sentado que de pie.

SEÑORA R.—No necesitas seguir haciendo chistes.

RICARDO.—Pero, mamá, no es un chiste, es un proverbio árabe.

BERNARDO.—Cállate ya, molino de palabras.

Se sienta. Ricardo se acuesta.

SEÑORA R.—Ricardo, ¿quieres sentarte?

RICARDO.—El mismo proverbio dice que es mejor estar acostado que sentado.

BERNARDO.—*(Tratando de pegarle)* Y el mismo proverbio añade que es mejor estar muerto que acostado.

RICARDO.—¡Mamá!

SEÑORA R.—¿Quieren oírme al fin? *(Se sientan los dos, en actitud hipócritamente respetuosa)* Siempre me han disgustado los excesos, y el tono sentimental no me ha quedado bien nunca. Es mejor no escandalizarse ante las cosas, no ser vulgar. . . ¡tanta gente lo es! . . . pero mis hijos han ido un poco demasiado lejos ya. No quiero oír más bromas sobre esto. En estos dos días han estado ustedes jugando con cosas demasiado serias, y eso no me gusta.

RICARDO.—Pero, mamá. Era el ángulo psicológico indicado para evitar que pasara una cosa ridícula.

BERNARDO.—Por mi parte, confieso que estoy un poco... escandalizado. Sí. Es la verdad.

RICARDO.—Cuidado, mamá, Bernardo traerá la vergüenza sobre la familia. El escándalo no lo hacen nunca los pecadores, sino aquellos a quienes su incapacidad para el pecado hace escandalizarse ante él.

BERNARDO.—El tono axiomático es dos veces tonto.

SEÑORA R.—¿Van a callar?

RICARDO.—Estamos callados. ¿Verdad, Bernardo?

Bernardo lo amenaza.

SEÑORA R.—Naturalmente, ustedes no dudan de Victoria, ¿verdad?

BERNARDO.—Si dudáramos no habríamos bromeado.

RICARDO.—Si no hubiéramos bromeado, dudaríamos. ¿No ves? Nos hubiéramos puesto a pensar.

SEÑORA R.—Eso es mejor. Pero todo esto me ha hecho reflexionar. He sido demasiado buena, demasiado débil con ustedes... con todos, y voy a poner el remedio. Quiero que comprendan que no me escandalizan las cosas del mundo, pero que prefiero que no pasen en mi casa... que mis hijos guarden la línea.

BERNARDO.—Es como la pintura moderna: muy bien en las exposiciones, pero no en casa de uno.

RICARDO.—¡Burgués! ¡Académico!

SEÑORA R.—Victoria ha obrado bien en parte, pero muy mal en otra. Herminia sigue obrando mal...

RICARDO.—Está entrenándose.

SEÑORA R.—Y mis hijos, es decir, ustedes...

RICARDO.—*(Cubriéndose la cara)* ¡En la cara no, mamá!

SEÑORA R.—Se han pasado la vida obrando como verdaderos irresponsables.

RICARDO.—Oh, gracias, madame.

BERNARDO.—Mira, mamá, no me parece justo que nos regañes. La culpa de cuanto ha ocurrido en esta casa en los últimos días es toda de Roberto.

RICARDO.—Al contrario. Gracias a Roberto han pasado cosas que eran necesarias ya: Herminia no se casa con un pistolero divorciado; Victoria le da una lección a su marido; Alejandro comprende que ha sido un marido ridículo, y la señora Rosas descubre que sus hijos son irresponsables.

SEÑORA R.—Algo de cierto hay en eso.

BERNARDO.—Pero gracias a lo mismo, Herminia quiere romper con Raúl, dar otro escándalo; Victoria se ha escapado de su casa hace cuarenta y ocho horas y tendrá que tener una muy buena explicación para que Alejandro no se divorcie...

SEÑORA R.—Tendrá la verdad.

BERNARDO.—Y el único irresponsable de la familia eres tú, borrico.

RICARDO.—Mientras me diferencie de ti, a cualquier precio.

SEÑORA R.—Basta. Desde hoy vuelvo a tomar las riendas de esta casa. Nunca quise oprimir a mis hijos, pero ha llegado el tiempo de enseñarlos a vivir de otro modo. Y como tengo alguna idea acerca del lugar donde está Victoria, voy a ir a buscarla. *(Llega hasta el fondo derecha y se vuelve)* Y ustedes me harán el favor de contestar escrupulosamente los teléfonos y de abrir la puerta. *(Sale)*

Bernardo y Ricardo se miran asombrados.

BERNARDO.—¿Quieres que te diga una cosa? Mamá va a tiranizarnos ahora.

RICARDO.—La influencia de las dictaduras totalitarias.

BERNARDO.—Todo por culpa de Roberto.

RICARDO.—Sin embargo, mientras no trate de depurar a la familia. . .

Suena el timbre de la puerta.

BERNARDO.—Anda, empieza tú.

RICARDO.—De ninguna manera. Tú sigues siendo el mayor.

BERNARDO.—Se me ocurre una solución. *(Suena el timbre)* Hagámoslo todo a medias.

RICARDO.—¿Cómo?

BERNARDO.—Así. *(Lo toma de una oreja y lo lleva hacia la puerta del fondo izquierda, que abren)*

RICARDO.—¡Ay!

ELSA.—*(Dentro)* Buenas noches.

BERNARDO.—¡Elsa! Precisamente iba a llamarte.

RICARDO.—Oh, no es más que Elsa.

ELSA.—¿Qué quieres decir?

RICARDO.—Nada.

ELSA.—¿Esperan a alguno?

RICARDO.—A ti, no.

ELSA.—Gracias. *(Se sienta)*

RICARDO.—No hay de qué.

ELSA.—¿Para qué ibas a llamarme, Bernardo?

BERNARDO.—Para verte.

RICARDO.—¿Continúa el curso de astronomía?

ELSA.—¡Continúas siendo insoportable!

RICARDO.—Yo, sí ¿y tú?

ELSA.—Eres malo. ¿Nada más para eso ibas a llamarme, Bernardo?

BERNARDO.—¿Te parece poco?

ELSA.—Si fueras como tu hermano, Ricardo, serías muy mono. ¿No está mi tía?

RICARDO.—Salió por la otra puerta en cuanto te vio venir.

ELSA.—¿Es cierto, Bernardo, que la agresión no es más que una forma del amor?

BERNARDO.—¿Qué?

RICARDO.—*(Con nerviosa solemnidad)* Elsa, querida prima Elsa, permíteme rogarte que me perdones si alguna vez he sido grosero contigo. De ahora en adelante nadie será más cortés, más atento que yo para ti. Te lo prometo.

BERNARDO.—¿Quieres no molestar a Elsa? ¿Quieres no molestarme a mí? En una palabra, ¿quieres irte de esta sala?

SEÑORA R.—*(Entrando)* No olviden entonces, niños... ¡Oh, Elsa!

ELSA.—¿Vas a salir, tía? Yo que quería platicar contigo.

SEÑORA R.—Lo siento, niña, tengo prisa. Si quieres esperarme.

ELSA.—Es que yo también tengo prisa. Una prisa horrible, ¿puedo ir contigo?

SEÑORA R.—No. Será mejor que esperes. ¿Me acompañas, Bernardo?

BERNARDO.—¿No te sería igual que fuera Ricardo contigo? Yo tengo un pequeño asunto...

SEÑORA R.—Me lo figuraba. En realidad, había pensado ir sola, pero creo más conveniente que me acompañes tú.

RICARDO.—Mamá, te suplico que no me dejes solo con Elsa. Es peligrosa. Creo que la amo.

BERNARDO.—Te he llamado idiota tantas veces que siento como si se me hubiera gastado la palabra.

ELSA.—Dime, tía... ¿no me preguntan nada?

RICARDO.—Sí. ¿Quieres hablar menos?

BERNARDO.—¿Qué quieres decir?

ELSA.—¿O no tienen nada que contarme?

Miradas entre la familia.

SEÑORA R.—*(Tosiendo)* Hum. Nada, Elsa. Te veré después.

ELSA.—¡Oh, no, no, no! No te vayas, tía, por favor.

BERNARDO.—¿Qué te ocurre a ti?

ELSA.—¿No ven que entonces no podré decirlo? Pregúntame algo, tía.

RICARDO.—Esta mujer se trae algo peligroso.

BERNARDO.—¿Estás enferma, Elsa?

ELSA.—Sí. Tía, pregúntame.

SEÑORA R.—Cuando tenga más calma, Elsa.

BERNARDO.—¿De qué se trata?

ELSA.—Prometí no decir nada directamente. Pero si me preguntan, sobre todo mi tía. . . tendré que contestar.

SEÑORA R.—No te entiendo.

ELSA.—Tengo un secreto. Y me pesa. . . Me ahoga. . .

RICARDO.—Magnífico. . . Denme las manos. . . Vamos a formar un círculo. . . de silencio.

SEÑORA R.—Yo me voy.

ELSA.—¡Tía! *(Todos se vuelven a ella)* ¿Dónde está Victoria?

Todos se vuelven a otro lado.

SEÑORA R.—Ha salido.

ELSA.—Eso ya lo sé. Salió desde antenoche.

SEÑORA R.—No sabes lo que dices, niña.

ELSA.—*(Cantando casi)* Y no ha vuelto todavía.

RICARDO.—Ahora el escándalo es seguro, mamá. Elsa es más eficaz que la radio. Tus presentimientos se realizan.

SEÑORA R.—Estoy segura de que no sabes lo que hablas, Elsa.

ELSA.—¡Tía, por favor! Pregúntame si sé dónde está Victoria.

RICARDO.—No hagas tal cosa, mamá. La privarías de su única oportunidad de ahogarse.

BERNARDO.—Mira, tú. . .

RICARDO.—Miro. *(Se hace a un lado)*

SEÑORA R.—¿Es posible que tú sepas algo, Elsa?

ELSA.—¡Al fin! Sí, tía.

BERNARDO.—¿Qué es lo que sabes?

Ella se sienta y todos la rodean como a una persona que se ha tragado una espina.

ELSA.—*(Como en trance)* ¡Así! ¡Así! . . . Pregúntenme. Sé dónde está Victoria.

SEÑORA R.—Dímelo en seguida.

ELSA.—Pero dí que me lo ordenas, tía. ¿Ves? Prometí no decirlo.

SEÑORA R.—Déjate ya de juegos. Dime. . .

ELSA.—Pero que conste que es cosa tuya. Quiero mucho a Victoria, y me molestaría que pensara que soy indiscreta.

RICARDO.—Yo la llamaría de otro modo.

BERNARDO.—¿Quieres callarte, demonio, o te pego?

RICARDO.—He dicho llamaría, ¡llamaría! . . . hablo de modo potencial, en tiempo simple o imperfecto, no en presente.

SEÑORA R.—Lo que tú quieras, Elsa. Dime. . . ¿dónde está Victoria?

ELSA.—Recuerda tu promesa.

SEÑORA R.—Sí, sí. Vamos. . . ¿dónde?

ELSA.—En mi casa.

SEÑORA R.—¡Ah! *(Suspiro de alivio)*

RICARDO.—¿No que estabas tan segura, mamá?

SEÑORA R.—¿Desde cuándo está allí?

ELSA.—Desde antenoche.

SEÑORA R.—¿Llegó sola?

ELSA.—No.

SEÑORA R.—¿Con quién?

RICARDO.—¡Vaya, mamá! ¡Como si no lo supieras!

ELSA.—Con Roberto.

RICARDO.—¡Qué noticia tan inesperada!

ELSA.—Además, Roberto ha estado yendo continuamente de visita. Han tenido largas conferencias, pero yo no pude oír lo que decían. Sin embargo, me figuro que. . .

BERNARDO.—¿Ahora ya no necesitas que te pregunten nada?

SEÑORA R.—Elsa, voy inmediatamente a tu casa.

ELSA.—Victoria se enojará.

SEÑORA R.—Espléndido! *(Se dirige al fondo izquierda)*

RICARDO.—¿Quieres que la llame yo para decirle que te espere, mamá?

SEÑORA R.—De ningún modo. Mucho cuidado y llames.

RICARDO.—Podemos pedir también unos reporteros y unos fotógrafos. Hay que cuidar de la publicidad. *(La señora Rosas va a salir, Ricardo le cierra el paso)* Te ruego que escojas el encabezado antes de irte, mamá: "Fugitiva capturada. . . Oveja descarriada que vuelve al bien. . . O la Mujer Adúltera Modelo 1939, Aerodinámica. . . El que esté libre de pecado. . ."

SEÑORA R.—Bernardo, dale algo a tu hermano. Creo que se pone mal. *(Sale rápidamente)*

ELSA.—Me siento mucho mejor ahora.

RICARDO.—Lo creo. Yo me siento avergonzado. En

lugar de Bernardo... Tengo una idea. *(Sale primer término izquierda)*

BERNARDO.—Elsa, debo decirte que creo que empiezas a justificar el criterio en que te tiene toda la familia.

ELSA.—¿Yo? ¿Cuál criterio?

RICARDO.—*(Dentro)* ¿Bueno? Llame a la señora Victoria. Es urgentísimo.

BERNARDO.—El de intervenir con frecuencia excesiva en los asuntos ajenos.

ELSA.—Cuando me hablas así no te entiendo... prefiero las lecciones de astronomía.

RICARDO.—¿Victoria? ¿Que quién habla? Un admirador que quiere suscribirse.

BERNARDO.—Lo que quiero decir es...

ELSA.—Dilo, no tengas miedo.

RICARDO.—*(Dentro)* Qué lengua tienes... Habla Ricardo, no seas tonta. Oye, mamá va para allá en este momento: Alejandro la sigue.

BERNARDO.—Si no tengo miedo.

ELSA.—Ni valor tampoco.

RICARDO.—Con periodistas y gendarmes. Huye inmediatamente. ¡Ah! Cuídate. Alejandro lleva una ametralladora de bolsillo.

BERNARDO.—Tengo vergüenza. Lo que quiero decir es sencillamente que eres chismosa.

ELSA.—Bernardo... ¿Cómo puedes...?

RICARDO.—*(Volviendo)* Ya está. Si no pasa nada no será por culpa mía.

BERNARDO.—Puedo porque es la verdad.

ELSA.—Te aseguro que...

BERNARDO.—No quiero oír nada más.

RICARDO.—¿Qué pasa aquí ahora?

ELSA.—Podrá decirse de mí todo lo que se quiera, menos eso. ¡Oh, no!

BERNARDO.—Si hay algo que me desagrade, son las mujeres que hacen chismes.

ELSA.—Pero yo no los hago.

RICARDO.—¡Espléndido! Quiero un asiento de ring.

BERNARDO.—Yo te creía diferente.

ELSA.—Pero me insultas. . .

BERNARDO.—¡Pero tú haces chismes! Ahora mismo. . .

ELSA.—Es una insolencia.

BERNARDO.—Ahora mismo, ¿qué es lo que has hecho?

ELSA.—Pero si yo no hice nada. Mi tía fue quien me obligó. ¿No es verdad, Ricardo?

RICARDO.—¡Bravo! ¡Bravo!

Suena el timbre de la puerta.

BERNARDO.—¿Cómo te atreves a mentir con tanto descaro?

ELSA.—¡Qué grosería! Decir que yo. . . No quiero volver a verte más.

RICARDO.—Silencio, por favor. . .

BERNARDO.—¿Qué pasa?

RICARDO.—¿No sonó el timbre de la puerta? *(Callan. Vuelve a sonar el timbre)* Tenía yo razón, pero quería cerciorarme. Sigan, hijos míos, sigan. *(Se sienta como un derviche)*

BERNARDO.—Soy yo quien no quiere verte más, ¿entiendes?

ELSA.—No es verdad, soy yo.

BERNARDO.—Y cuando rompo, rompo, ¿entiendes? *(El timbre)* Contesta, Ricardo, ese timbre no me deja pelear a gusto.

RICARDO.—No, no. Contestemos.

BERNARDO.—No me molestes. *(A Elsa)* Cuando pienso que me he resistido a creerlo, me da rabia. ¡Ay!

Ricardo lo ha tomado por una oreja y lo lleva a la puerta del fondo izquierda. Elsa los sigue, discutiendo.

ELSA.—Ahora es cuando estás ciego.

BERNARDO.—Mira, no continúes. . .

ELSA.—¿Quién empezó esto? *Tú.*

RICARDO.—*(Abriendo)* ¿Diga usted?

FERNANDO.—*(En el umbral, vestido impecablemente a la inglesa: lleva una caja de mica con flores en la mano)* Buenas noches.

BERNARDO.—Naturalmente que no. Tú, con tu chisme.

RICARDO.—¿Qué deseaba usted?

ELSA.—Yo no he hecho ningún chisme. Es tu imaginación.

BERNARDO.—Como quiera que sea, se acabó.

FERNANDO.—Perdone usted. . . quizás interrumpo.

ELSA.—¡Ah! Pero se acabó porque yo lo acabo.

RICARDO.—De ningún modo. Llega usted a tiempo. Tenemos una pequeña exhibición.

BERNARDO.—En eso te equivocas. A mí ninguna mujer me ha dejado.

ELSA.—Todavía.

FERNANDO.—Deseaba ver a la señorita Rosas.

ELSA.—Pero yo empiezo, querido amigo.

BERNARDO.—¿Tú crees, querida amiga?

RICARDO.—Un momento, muchachos, por favor. ¿A quién decía usted?

FERNANDO.—A la señorita Rosas.

RICARDO.—¿Quién es la señorita Rosas? ¿Ustedes la conocen?

BERNARDO.—Yo no. Si crees que tú eres la que. . .

ELSA.—Ni yo. Estoy segura. No eres tú quien. .

RICARDO.—Ni yo. Perdone usted, no la conocemos.

BERNARDO.—Bien, se acabó.

FERNANDO.—Es extraño. Esta es la dirección.

ELSA.—No, Bernardo, no lo creas. Esto no se ha acabado. ¿Sabes qué? Te perdono.

FERNANDO.—*(Tan insistente como incómodo)* Me refiero a la señorita Herminia Rosas.

RICARDO.—¡Ah! ¡Herminia! Perdone usted, hágame el favor de pasar.

BERNARDO.—*(Perdido)* ¿Me perdonas?

FERNANDO.—Entonces, ¿la conoce usted?

RICARDO.—Es mi hermana.

FERNANDO.—¡Ah!

RICARDO.—Es que como decía usted "La señorita Rosas", y nosotros no la llamamos así... *(Ante el gesto de Fernando, se apresura a presentar)* Le presento a mi hermano Bernardo, la señorita es nuestra prima.

FERNANDO.—Gracias. Me llamo Fernando Robles.

RICARDO.—Siéntese usted, por favor.

FERNANDO.—Gracias.

Elsa y Bernardo se apartan mirándose con disgusto y al fin se dan la espalda.

RICARDO.—¡No! ¡Allí no! Va usted a sentarse sobre la Magdalena.

FERNANDO.—Oh... No me permitiría...

RICARDO.—Una vista de la Magdalena de París. La dejamos en esa silla para no colgarla.

FERNANDO.—*(A punto de sentarse sobre otra silla)* No me había fijado...

RICARDO.—Un momento. Allí hay un directorio de teléfonos. Siéntese usted mejor en el sofá.

FERNANDO.—Oh, lo siento. *(Va a sentarse al sofá izquierda)*

RICARDO.—¡Cuidado! Hay un traje allí. *(Lo retira y lo pone sobre una silla)* Aquí, mire usted. *(Al sofá derecha)*

FERNANDO.—¿Cree usted que aquí sí podré sentarme?

Durante este diálogo, Elsa y Bernardo, pasean en direcciones opuestas, dirigiéndose una mirada negra de vez en cuando.

RICARDO.—Permítame ver. Sí. Este extremo está bien. En el otro hay un martillo. *(Mirada de Fernando)* Un juguete familiar.

FERNANDO.—*(Sentándose después de comprobar que no hay más peligro)* Gracias. Y dígame usted, ¿puedo hablar con Herminia?

RICARDO.—Ciertamente, puede usted hablar. Sólo que no con ella. No está aquí en este momento. *(En tono de ruidosa confidencia)* Fue a impedir un crimen pasional.

FERNANDO.—¡Perdone usted!

RICARDO.—Nada. . . nada. ¿Si prefiere usted volver. . .?

FERNANDO.—No. . . Prefiero esperar. He venido hoy en aeroplano, sabe usted, y. . .

RICARDO.—Claro. Pues espere usted. . . pero puede ser largo; especialmente si se cometió el crimen.

BERNARDO.—Deja de decir disparates. Herminia regresará dentro de un momento, señor.

FERNANDO.—*(Deseoso de entrar en confianza)* Gracias. He venido en aeroplano porque la cosa era más bien urgente, ¿sabe usted?

BERNARDO.—¿Sí?

FERNANDO.—Sí. . . Recibí un telegrama de Herminia. . . *(Sonríe)* y. . . bueno. . . después de todo no hay razón por la que no deban ustedes saberlo. Son sus hermanos.

RICARDO.—Nadie escoge a su familia.

BERNARDO.—Cállate. ¿A qué se refiere usted?

FERNANDO.—*(Blandiendo un telegrama)* He venido a casarme con ella.

ELSA.—¡Qué romántico!

BERNARDO.—Perdone usted. . . ¿con quién dice que ha venido a casarse?

FERNANDO.—Con Herminia.

RICARDO.—Con la señorita Rosas. Eso sí que es novedad.

FERNANDO.—Me figuro que ella querrá sorprenderlos. Les ruego que no le digan que yo les he revelado la verdad.

ELSA.—¡Oh, no, por supuesto! Le aseguro a usted que yo no diré nada. . . a menos que ella me pregunte.

Bernardo le lanza una mirada furibundo.

FERNANDO.—Conocí a Herminia hace tres años, a mi regreso de Oxford.

RICARDO.—¿Ah, sí? ¡Qué interesante! *(Expresión de gran fastidio)*

FERNANDO.—Todos nos hemos educado en Oxford durante generaciones.

BERNARDO.—¡Ah!

FERNANDO.—Es que tenemos una rama inglesa en la familia. Ve usted, una antepasada nuestra fue una de las esposas del rey Enrique VIII. Así que ustedes comprenden. . .

RICARDO.—¡Oh! no necesita usted excusarse. Esas desgracias suceden en las mejores familias.

FERNANDO.—¿Decía usted?

ELSA.—Pero es muy interesante. No sé por qué no nos había hablado de usted Herminia.

BERNARDO.—Probablemente quería mantenerlo en secreto.

ELSA.—Probablemente. No había pensado en ello.

RICARDO.—Como quiera que sea, es indudable que ha llegado usted con una gran oportunidad.

FERNANDO.—Me alegro.

En este momento, por el fondo izquierda entran Alejandro y Herminia.

RICARDO.—*(Saliendo melodramáticamente a su encuentro)* ¿Lo mataste?

ALEJANDRO.—Llegamos tarde. ¡Tarde!

HERMINIA.—Y fue lo mejor. *(Fernando se levanta)* ¡Fernando! ¡Tú aquí! ¡Es una sorpresa!

FERNANDO.—*(Ofreciéndole las flores)* ¿No me esperabas?

HERMINIA.—Gracias, eres siempre tan amable. Pero, ¿no recibiste mi telegrama?

FERNANDO.—Por eso estoy aquí.

HERMINIA.—¿Por eso? *(Se sienta)* ¡Oh, déjame pensar! No tengo cabeza en este momento. . .

FERNANDO.—*(Que la observa)* Parece que mi presencia te desconcierta.

HERMINIA.—Un poco, sí, debo admitirlo. Pensé que estarías furioso.

FERNANDO.—Estoy encantado.

HERMINIA.—¿De veras? Es que te mandé un telegrama. . .

FERNANDO.—*(Sacándolo)* Aquí está.

HERMINIA.—*(Tomándolo y viéndolo)* No. . . quiero decir, otro, después de éste.

FERNANDO.—No he recibido nada más.

HERMINIA.—¡Oh, Dios mío! Ese Roberto. . . Lo ha trastornado todo. ¡Qué necio!

ALEJANDRO.—Daría yo cualquier cosa por ponerle las manos encima.

Suena el timbre de la puerta.

ELSA.—Pero es que no sabes que. . .

BERNARDO.—Elsa, mucho cuidado. . .

ALEJANDRO.—¿Qué quieres decir, Elsa?

RICARDO.—Bernardo, la puerta.

Se toman ceremoniosamente del brazo y van a abrir.

ELSA.—¡Oh, nada, nada! Nnnada.

RICARDO.—¡Roberto!

BERNARDO.—Pase usted. ¡Lo esperan con una impaciencia!

Roberto entra seguido por ellos. Alejandro sale furiosamente a su encuentro.

ALEJANDRO.—¡A usted quería verlo!

ROBERTO.—Aquí me tiene usted. Le traigo un mensaje de Victoria.

ALEJANDRO.—¡No pronuncie usted ese nombre!

RICARDO.—¡La escena inevitable! Toca la campana, Bernardo.

BERNARDO.—Alejandro, debo decirte que Victoria está en casa de Elsa.

ALEJANDRO.—¿Eh? ¿Desde cuándo?

ROBERTO.—Eso lo contestaré yo. Desde que salió de aquí la otra noche. Me pidió que la llevara y ahora me envía a decirle que desea hablar con usted.

ALEJANDRO.—Muchas gracias. . . Quiero decir, usted no se meta más en esto.

ROBERTO.—Al contrario, me meteré por conveniencia de usted.

FERNANDO.—¿Puedo preguntar qué significa todo esto?

RICARDO.—Puede usted; lo difícil será que nadie le conteste.

ELSA.—Oh, no podría usted entenderlo; pero yo se lo explicaré.

BERNARDO.—¡Elsa, adentro la lengua!

HERMINIA.—Alejandro, te sugiero que vayas en seguida a hablar con Victoria.

ALEJANDRO.—Quiero saber primero la verdad.

ELSA.—Es la verdad, Alex, Victoria llegó a casa antenoche, poco después que yo.

ALEJANDRO.—En ese caso... *(Se dirige a la puerta. Se vuelve. A Roberto)* Antes de irme quiero...

HERMINIA.—*(Interponiéndose)* No pierdas más tiempo.

RICARDO.—*(Mismo juego)* Nada de drama, querido cuñado.

ALEJANDRO.—Es que yo quiero...

BERNARDO.—Piensa que te espera Victoria.

ELSA.—Te aseguro, Alex...

ALEJANDRO.—No me iré sin...

HERMINIA.—Vas a hacer una tontería, Alejandro.

RICARDO.—¿No te bastan las que ya has hecho?

ALEJANDRO.—Pero es que yo...

ELSA.—Alejandro, no debería decírtelo; pero Victoria ha llorado...

FERNANDO.—¿Creen ustedes que yo podría... de algún modo...?

BERNARDO.—Alejandro, estás a punto de hacer el ridículo.

ALEJANDRO.—¿Qué les pasa a ustedes? Quiero decirle a Roberto que debe saber que yo ya sabía que... vamos, que Victoria se ha reído de él. El creyó que la había conquistado, ¿no? al verla salir de aquí la otra noche. ¡Qué chasco! Me habría gustado ver la cara que puso cuando mi mujer se dirigió a casa de su tía. En fin, que para un don Juan... ¡Vamos! *(Le tiende la mano)* Mejor suerte la próxima vez. *(Sale rápidamente)*

RICARDO.—Puede ir con toda tranquilidad. . . no encontrará allí a Victoria.

HERMINIA.—¡Cómo!

RICARDO.—Encontrará a mamá, que le explicará todo mucho mejor que nadie.

HERMINIA.—En realidad, merecería. . .

BERNARDO.—No lo digas, Herminia.

FERNANDO.—Herminia, no quisiera ser impertinente, pero me parece que aquí ocurre algo. . .

RICARDO.—¡Oh, no! Nada absolutamente.

ROBERTO.—Bien, buenas noches a todos.

HERMINIA.—Un momento, señor Dávila.

ROBERTO.—Diga usted.

HERMINIA.—Voy a dirigirle la palabra por última vez en mi vida para preguntarle qué hizo con el telegrama que le encargué que depositara antenoche.

ROBERTO.—¿Cómo?

HERMINIA.—El telegrama para el señor Robles. ¿Lo ha olvidado usted?

ROBERTO.—En realidad. . . aquella noche me olvidé de todo, Herminia. Perdóneme. *(Se registra)* Aquí está. Si quiere usted, lo enviaré en seguida.

HERMINIA.—Es completamente inútil. . . como todo lo que usted hace.

ROBERTO.—Herminia. . .

HERMINIA.—Señor Dávila, le presento al señor Robles.

FERNANDO.—*(Tendiendo la mano)* ¿Cómo está usted? ¿Puedo leer ese telegrama?

ROBERTO.—¿Usted es. . .? Ciertamente. *(Le tiende el papel)*

HERMINIA.—Es inútil que lo leas, Fernando. Ya no

255

tiene caso. Hiciste bien en venir. *(Le quita el telegrama)*

FERNANDO.—Como gustes.

ROBERTO.—Herminia, lo que usted hace no es leal para Raúl.

HERMINIA.—Señor Dávila, no deseo su opinión, ni su consejo. Usted lo ha hecho y lo ha deshecho todo. Pero tengo que pedirle que no vuelva por esta casa, donde tantos trastornos ha provocado.

ROBERTO.—*(Después de pausa)* En ese caso... *(Mira a todos)* Buenas noches.

HERMINIA.—Y sería mejor, para tranquilidad de todos, que desapareciera usted del mundo.

RICARDO.—Si yo fuera usted, no creería en lo que hablan las mujeres. Cuando quieren decir algo, callan. *(Lo acompaña hasta la puerta)* Y en el fondo, Herminia tiene una gran estimación por usted.

HERMINIA.—*(Furiosa)* ¡No es leal para Raúl! *(A Fernando)* Por favor, siéntate.

BERNARDO.—Sólo una mujer puede obrar como tú. Me das disgusto. *(Sale por primer término derecha. Al comedor)*

RICARDO.—*(Volviendo)* No creo que hayas estado muy correcta, Herminia.

HERMINIA.—¿De veras? ¿Es otra forma de chiste?

RICARDO.—Me avergonzaría hacer un chiste ahora.

HERMINIA.—*(Riendo nerviosamente)* Eres mucho más gracioso así: regenerado. *(Ricardo sale por el corredor sin contestar)* Bueno, parece que mis hermanos se civilizan. Nos dejan solos. ¡Oh! perdón, Elsa, no quise decir...

ELSA.—No tengas cuidado. Tengo un asunto pendiente con Bernardo. Con permiso, señor de Oxford. *(Sale al comedor)*

HERMINIA.—¿No te sientas? *(Se sientan en el sofá derecha)*

FERNANDO.—Temo que he encontrado a tu familia en un estado de excitación particular. En estas ocasiones siempre parece uno un poco tonto. . . no sé. . .

HERMINIA.—No tengas cuidado. Es decir, excúsanos.

FERNANDO.—Por supuesto.

HERMINIA.—*(Abriendo la caja)* ¡Qué lindas rosas!

FERNANDO.—Nunca he dejado de recordar que te agradan.

HERMINIA.—Gracias. *(Pausa)*

FERNANDO.—Dime. . .

HERMINIA.—¿Qué?

FERNANDO.—Ese segundo telegrama. . . ¿por qué ibas a enviarlo? ¿Qué decía?

HERMINIA.—Nada de importancia. Me alegro de que hayas venido. En realidad estaba yo loca antes. Me alegro de que Roberto no te lo enviara. Era el destino, quizás.

FERNANDO.—¿Quieres decir entonces que. . .?

HERMINIA.—Sí.

FERNANDO.—¿Que esta vez no te desdices?

HERMINIA.—Sí.

FERNANDO.—¿Que te casarás conmigo?

HERMINIA.—Sí.

FERNANDO.—¿Y que irás a vivir conmigo a un rancho?

HERMINIA.—Sí.

FERNANDO.—Dime. . .

HERMINIA.—No te detengas. ¿Qué?

FERNANDO.—¿Estás enteramente bien?

HERMINIA.—Nunca me sentí mejor.

FERNANDO.—Esta decisión de casarte conmigo. . .

HERMINIA.—La tomé en mi juicio.

FERNANDO.—No te creo.

HERMINIA.—¿Qué?

FERNANDO.—Perdóname. . . suena demasiado bien todo. Me tienes tan acostumbrado a tus negativas que debes darme tiempo para que me haga yo a esta nueva situación. ¿Tu familia sabe. . .?

HERMINIA.—Todavía no.

FERNANDO.—Quizá vas a enfadarte conmigo. . . pero cuando llegué aquí. . . supongo que venía un poco mareado. . . ¿o diré aireado?. . . del avión. . . pero. . . se lo dije a tus hermanos.

HERMINIA.—¿El qué?

FERNANDO.—Eso.

HERMINIA.—Perdona; no sé a qué te refieres.

FERNANDO.—Les dije que había venido a casarme contigo.

HERMINIA.—Oh.

FERNANDO.—Temo haber sido indiscreto.

HERMINIA.—Oh, no, no. Hiciste muy bien. Es mejor así. Ahora ya lo saben y yo no podré. . .

FERNANDO.—¿Retroceder?

HERMINIA.—Precisamente. Quiero decir, no es eso. . . es. . . *(Se calla sin saber qué decir)*

FERNANDO.—Dime. . . ¿Quién es Raúl?

HERMINIA.—Mi novio.

FERNANDO.—Quieres decir que tienes otro novio. . . ¿no es Guzmán ya?

HERMINIA.—Sí. . . no.

FERNANDO.—Me sorprende. ¿Y cuándo vas a quebrar con él? Porque supongo que para casarte conmigo tendrás que hacerlo.

HERMINIA.—Claro. . . hoy mismo.

FERNANDO.—¿No lo quieres. . . o lo quieres demasiado?

HERMINIA.—Nunca lo he sabido. Su declaración fue tan extraña. . . En realidad, descubro que es una especie de fantasma para mí.

FERNANDO.—¿Siempre tan querida por todo el mundo?

HERMINIA.—Creo que deberían odiarme, más bien.

FERNANDO.—Qué disparate. Sin embargo, la gente odia a menudo lo amable. Entonces, ¿nos casamos?

HERMINIA.—Sí.

FERNANDO.—¿Cuándo?

HERMINIA.—Cuando tú quieras.

FERNANDO.—Me gustaría este mes.

HERMINIA.—Muy bien.

FERNANDO.—Por supuesto, tendré que hablar formalmente con tu familia.

HERMINIA.—Por supuesto.

FERNANDO.—¿Crees que habrá oposición?

HERMINIA.—¿Oposición? Todo el mundo estará encantado.

FERNANDO.—Así lo espero. *(Saca una agenda de bolsillo)* ¿Te parecería bien dentro de tres semanas, por ejemplo?

HERMINIA.—Muy bien.

FERNANDO.—Podríamos ir entonces. . . ¿A dónde preferirías ir? Yo no puedo alejarme demasiado del rancho. Quizá La Habana. . . ¿te parece?

HERMINIA.—Perfecto.

FERNANDO.—En realidad, yo he tenido siempre el sueño. . . creo que te lo dije. . . de ir a los mares del Sur. Podría arreglarlo. Lo arreglaré. ¿Te agrada?

HERMINIA.—*(Más lúgubre que en todo lo anterior)* Me parece maravilloso. Sí. Maravilloso.

FERNANDO.—Quizás vas a encontrarme demasiado. . . formalista; pero me agradaría que me dieras un beso.

HERMINIA.—*(Mismo juego)* Cómo no. *(Van a besarse, cuando ella se echa a llorar de pronto)* No puedo, Fernando. . . no puedo. . . creí que podría. . . no. . .

FERNANDO.—*(Suavemente)* Déjame leer ese telegrama. *(Ella se lo tiende, cubriéndose el rostro con la otra mano. El lo lee y sonríe sin amargura)* Esto me parece mucho más natural, ¿sabes?

HERMINIA.—¿No estás ofendido. . . furioso contra mí?

FERNANDO.—No. La gente se burla de mi educación de Oxford. . . tus hermanos, sin ir muy lejos, hace un momento. Pero allí aprendí a tener flema y sangre fría.

HERMINIA.—Sé que me he portado abominablemente. Lo sé. Por lo menos si ese tonto de Roberto te hubiera enviado a tiempo el telegrama. . .

FERNANDO.—Tengo que agradecerle que me diera ocasión de verte. Hace dos años que no te veía. Estás más linda que nunca. Parece que portarse mal embellece; sigue haciéndolo.

HERMINIA.—Pero. . . ¿no estás lastimado?

FERNANDO.—Toca y verás que no. En realidad. . . ¿quieres que te diga una cosa?

HERMINIA.—Sí. . . por favor.

FERNANDO.—En realidad, traía yo mucho miedo. No creo haber sentido tanto miedo antes en mi vida.

HERMINIA.—¿Miedo, de qué?

FERNANDO.—De ti. Siempre has representado para mí lo ideal, lo imposible. . . no sé cómo explicarlo bien; pero siempre he tenido la impresión de que cuando me dijeras que sí sería como si te convirtieras en otra persona.

HERMINIA.—Fernando. . .

FERNANDO.—En el avión pensaba: Esto no es natural. Está enferma. . . se ha vuelto loca o se ha vuelto fea. Me siento mucho más cómodo ahora, para ser franco. Sigues siendo la misma, teniendo todo lo que me gusta en ti. . . sigues siendo imposible.

HERMINIA.—En el mal sentido, quizás.

FERNANDO.—¿Quién dijo que hay dos tragedias en la vida? Una, no alcanzar jamás el ideal que nos proponemos; la otra, alcanzarlo, y que la segunda es la más terrible. Bien, es verdad. Y tú me salvas de ella. *(Guarda el telegrama en su cartera y se levanta)* Para mí serás siempre la más bonita, la mejor de todas las mujeres.

HERMINIA.—No lo merezco. . . eres demasiado bueno.

FERNANDO.—Soy egoísta; me has conservado mi ideal.

HERMINIA.—*(Levantándose)* ¿Volveré a verte antes de que te vayas?

FERNANDO.—Lo dudo. Hay que mantenerse lo más lejos posible de los ideales para no perderles el respeto. *(Camina hacia la puerta. Se vuelve)* Sin embargo, ¿puedo ayudarte en algo? Sé franca.

HERMINIA.—No, gracias. Nadie puede ayudarme.

FERNANDO.—¿No soy indiscreto? Estás enamorada, ¿verdad?

HERMINIA.—Sí. . . como una tonta.

FERNANDO.—Eso es bueno. En realidad, el talento es la última cosa con que ama uno. . . por fortuna. ¿De Raúl?

HERMINIA.—No.

FERNANDO.—Me lo figuraba. De Roberto, ¿verdad?

HERMINIA.—¿Cómo lo sabes?

FERNANDO.—Una mujer enamorada es capaz de cualquier cosa por el hombre a quien quiere... hasta de convertirse en su enemiga mortal. Me bastó ver cómo lo mirabas... y oír...

HERMINIA.—El no lo sabe.

FERNANDO.—En ese caso, tienes razón. Nadie puede ayudarte. *(Caminan hacia el fondo izquierda)* Adiós, Herminia.

HERMINIA.—Adiós, Fernando, has sido encantador.

FERNANDO.—Gracias... pero la culpa es tuya. Yo no soy más que un piano de mediana marca... pero muy bien tocado. Adiós.

Sale. Herminia queda sola sin saber qué hacer. Pasea un poco. Ricardo pasa de derecha a izquierda comiendo una manzana. Silba un momento la Marcha Nupcial de Mendelssohn.

RICARDO.—¿Y cuándo es la boda? Oh, excúsame. *(Ella no contesta, pasea)* When is the wedding? Tratándose de un hombre de Oxford, tendrás que casarte en inglés. Congratulations... *(Sale por la derecha)*

Mientras Herminia pasea, Victoria entra por el fondo izquierda, con aire, naturalmente, victorioso.

VICTORIA.—Hola, Herminia.

HERMINIA.—¿No te encontró Alejandro? Fue a buscarte, y mamá también.

VICTORIA.—Prefiero que conversemos de todo eso aquí y no en casa de Elsa, donde las paredes oyen.

HERMINIA.—¿Y cómo te sientes?

VICTORIA.—Oh, muy bien. Espero que Alejandro me haya echado de menos y que cambie un poco.

HERMINIA.—¿Y qué vas a hacer ahora con Roberto? No pensarás guardarlo.

VICTORIA.—Roberto ha sido encantador.

HERMINIA.—Cualquier hombre que le hace a una la corte, lo es. El te la hizo, ¿no?

VICTORIA.—Sí.

HERMINIA.—El muy hipócrita.

VICTORIA.—Tenía que hacérmela, ¿no ves? Tiene veinticinco años y ninguna mujer lo ha detenido; entonces, se entrega a todas... trata de entregarse por lo menos; pero es porque está desorientado.

HERMINIA.—Bonita desorientación. Y tú, ¿no estás desorientada?

VICTORIA.—¿Qué quieres decir?...

HERMINIA.—Saliste de aquí con él la otra noche.

Victoria la mira atentamente. Se ofende y se vuelve de espaldas.

VICTORIA.—*(Sonriendo)* La otra noche, antes de marcharnos de aquí, ya habíamos aclarado la cosa.

HERMINIA.—¿No crees que aclararon mucho más después?

VICTORIA.—Quiero decir que habíamos quedado simples, buenos amigos.

HERMINIA.—¿De veras?

VICTORIA.—¿Qué es lo que tienes?

HERMINIA.—Oh, nada.

VICTORIA.—Y como amigo, Roberto es encantador.

HERMINIA.—La prueba... hasta hace las declaraciones de amor de sus amigos. Es un desocupado sentimental.

VICTORIA.—Se te declaró en nombre de Raúl, ¿no?

HERMINIA.—¿Tenía que decírtelo?

VICTORIA.—Perdónalo: está enamorado.

HERMINIA.—¿El? Es incapaz. Toda clase de mujeres han pasado por su vida: mecanógrafas, coristas, niñas bien y... otras, y mujeres casadas además.

VICTORIA.—*(Divertida)* Herminia, ¿por qué ese tono?

HERMINIA.—¿Roberto enamorado? Sí... enamorado del amor, no de una mujer... de eso es incapaz. Se siente superior, nadie lo satisface nunca; hace lo imposible por ser áspero y desagradable con todo el mundo.

VICTORIA.—No contigo.

HERMINIA.—Es peor.

VICTORIA.—¿Cómo?

HERMINIA.—Quiero decir que usurpó las funciones de Raúl. Es como un actor, recitando un papel que no siente. Un mal actor.

VICTORIA.—¿Por qué este apasionamiento tuyo contra él? Antes todo lo suyo te parecía perfecto. Era el ejemplo, el espejo de todos.

HERMINIA.—Es un torpe.

VICTORIA.—Como cualquier otro enamorado. Debes ser indulgente.

HERMINIA.—¿Por qué te empeñas en decir que está enamorado?

VICTORIA.—Porque lo está. Hemos conversado bastante en estos dos días.

HERMINIA.—Como conversador, claro... El amante musical. Pero es incapaz de un sentimiento firme.

VICTORIA.—Has cambiado mucho tu opinión sobre él.

HERMINIA.—Si tanto sabes, ¿sabrás de quién está enamorado?

VICTORIA.—Positivamente. ¿No me preguntas de quién?

HERMINIA.—No me interesa.

VICTORIA.—Estás celosa, ¿verdad?

HERMINIA.—Estás loca.

VICTORIA.—Celosa de la mujer a quien él quiere; como te pusiste celosa de mí la otra noche, como un relámpago.

HERMINIA.—¿Por qué habría yo de. . .? Es absurdo.

VICTORIA.—Porque estás enamorada de él.

HERMINIA.—¿Yo? ¿Enamorada yo de un fatuo que cita libros a todas horas, de un hombre que le ha hecho la corte a mi hermana y a cuanta mujer ve por la calle? ¿De un miope que vive en el aire y que no se da cuenta de nada. . . ni siquiera de que yo lo quiero? ¡Bah!

VICTORIA.—Eso quería que me dijeras. Ahora voy a decirte de quién está enamorado él.

HERMINIA.—No me interesa. . . no me lo digas.

VICTORIA.—Perfectamente.

HERMINIA.—¿De quién?

VICTORIA.—Está enamorado de ti.

HERMINIA.—¿Qué?

VICTORIA.—De ti. . . de ti. Aquella noche que reñiste con él perdió la cabeza y cayó en mí por una especie de reflejo, como quien, no pudiendo entrar en la realidad, se cuela por un espejo.

HERMINIA.—¿Es verdad eso?

VICTORIA.—Tú deberías saberlo. ¿Por qué te convenció cuando se declaró en nombre de Raúl?

HERMINIA.—Porque habla bien, porque habla de prisa, porque pone pasión en las cosas. . . pero sobre todo porque yo lo quería ya sin saberlo.

VICTORIA.—Eres boba. Porque habló sinceramente.

HERMINIA.—En realidad, yo también lo creía así

entonces. . . creía que hablaba por él mismo. ¡Oh, Dios mío!

VICTORIA.—¿Qué?

HERMINIA.—Esta noche lo he despedido, lo he insultado. Le dije que no quería volver a hablarle nunca. Tengo que hacer algo. . . pronto. Pero no. . . si me quiere, debe buscarme, hablar.

VICTORIA.—Eso no lo hará nunca.

HERMINIA.—¿Por qué no?

VICTORIA.—Porque es amigo de Raúl. Me lo ha dicho: está resuelto a sacrificarse.

HERMINIA.—¡Idiota!

VICTORIA.—Umjú. Yo se lo dije ya. . . un poco más suavemente; pero está decidido. Ahora que ha visto con claridad las cosas, ahora que ha comprendido, se sacrificará por su amigo. Me dijo que esto daría una forma y una dirección a su vida. . . que un gran amor imposible es siempre fecundo para un hombre inteligente. . .

HERMINIA.—Es un necio romántico.

VICTORIA.—Los hombres son habitualmente necios y románticos. Yo no veo más que una forma de arreglar esto.

HERMINIA.—Dímela pronto.

VICTORIA.—Como no estaba completamente segura de lo que te pasaba a ti, no le dije nada. No sabe que tú lo quieres.

HERMINIA.—Pues lo sabrá.

VICTORIA.—Cuidado y le tires a la cabeza, Herminia. Recuerda que la única mujer posible para un hombre es la mujer difícil. Las mujeres fáciles son sencillamente imposibles.

HERMINIA.—Voy a arreglar las cosas en seguida.

VICTORIA.—¿Y Raúl?

266

HERMINIA.—Le buscaré novia. Tengo que telefonear.

Corre al primer término izquierda a tiempo que por el primero derecha salen Elsa, Ricardo y Bernardo.

BERNARDO.—Muy bonito, Victoria, muy bonito.

RICARDO.—¡Ah! El borrego descarriado.

VICTORIA.—*(Saludando)* Gracias, señor.

La señora Rosas entra por el fondo izquierda, muy agitada.

SEÑORA R.—¿Aquí estás? He ido a buscarte a casa de Elsa.

BERNARDO.—También Alejandro fue.

VICTORIA.—¿Qué tal, mamá? Si no tienes noticias más nuevas. . .

SEÑORA R.—Bernardo, llévate a Elsa y dale una lección de astronomía en la terraza, o cualquier cosa. Necesito hablar con Victoria.

BERNARDO.—Obedece, Elsa.

ELSA.—Déjame ver. . . Creo que prefiero que me la dé Ricardo.

RICARDO.—¿Yo astrónomo? Nada de mala estrella.

ELSA.—Bernardo, ¿cómo quedamos al fin? ¿Quién plantó a quién?

BERNARDO.—Yo a ti, naturalmente.

ELSA.—Entonces, ven. . . voy a reconquistarte. Siempre tendré tiempo de dejarte plantado después. *(Los dos salen a la terraza)*

SEÑORA R.—Ricardo. . .

RICARDO.—Es inútil, mamá. Si me echas, escucharé por el ojo de la cerradura.

VICTORIA.—Déjalo, mamá. No pensarás que voy a escandalizarlo.

SEÑORA R.—En un rincón, Ricardo, por favor. *(A Victoria)* ¿Estás contenta de ti?

VICTORIA.—No estoy descontenta. Me parece que obré bien y a tiempo.

SEÑORA R.—¿Dejarme dos días sin noticias tuyas? No imaginas en qué estado. . .

VICTORIA.—¿Por qué tratas de engañarte, mamá? No tienes ningún deseo de regañarme. Pensé avisarte para que me ayudaras, pero no sabes fingir, mamá. Alejandro se hubiera dado cuenta, se hubiera tranquilizado, y yo quería que sufriera un poco.

RICARDO.—Muy femenino.

SEÑORA R.—Ricardo, el silencio es una gran virtud.

RICARDO.—Eso es lo que dicen todos los oradores políticos, mamá; pero yo soy el coro de la tragedia.

SEÑORA R.—¿Cómo recibió Alejandro la noticia de que Victoria estaba en casa de su tía? Me inquieta ese muchacho.

RICARDO.—Tranquilízate: le dio un abrazo y un beso a Roberto y se fue a comprar un ramo de flores.

SEÑORA R.—¿Hablas en serio?

RICARDO.—Es una manera de decirte que recibió muy bien la cosa; en realidad para una noticia tan mala, se portó decoroso.

SEÑORA R.—Acabemos con lo tuyo, Victoria.

VICTORIA.—¿Me encuentras escandalosa, decadente?

SEÑORA R.—Pudiste perder a Alejandro. . . no hablaba más que de divorcio. Y, francamente, me parecía de pésimo gusto tener un divorcio en casa. Todo el mundo se divorcia, y ahora que está permitido resulta vulgar y hasta cobarde hacerlo. Eso era interesante en mi tiempo. . . valía la pena entonces. . .

RICARDO.—Mamá, me escandalizas.

VICTORIA.—Te aseguro que no me interesa divorciarme; pero tuve que correr el riesgo, mamá. No era feliz.

RICARDO.—¿Quién podría serlo a tu lado?

SEÑORA R.—Eso no es ninguna novedad. Ustedes viven, se equivocan, sufren probablemente en el fondo; pero no se imaginan nunca que una los observa y los conoce. Yo sabía que no eras feliz, pero me molestó que salieras de aquí con Roberto hace dos noches. Por un momento temí que Alejandro hiciera algo violento. Pero no; pobrecillo, te quiere. Se quedó aplastado allí en la escalera.

VICTORIA.—Lo interesante era eso justamente, mamá; salir con Roberto. Sin embargo, no lo calculé; me habría dado miedo hacerlo si lo hubiera pensado.

RICARDO.—Lo que me interesa es saber cómo tomó la cosa el pobre Roberto. ¡Comprometer así en esa forma a un hombre inocente! ¡Las mujeres!

SEÑORA R.—A Roberto espero no volver a verlo por aquí. Bastante hizo ya.

VICTORIA.—Será difícil. Está enamorado de Herminia. . .

SEÑORA R.—Y Herminia de él. Tu hermana te ha aventajado, Victoria. Tú no tienes más que una pequeña fuga, pero. . . ella. . . ¡dos rupturas en menos de un mes!

RICARDO.—Tres, mamá.

SEÑORA R.—¿Qué has dicho?

RICARDO.—He dicho tres. Porque supongo que ha roto o romperá con la otra víctima, que estuvo aquí hace un momento.

SEÑORA R.—¿Quieres explicarme este escándalo?

RICARDO.—¿Cuántos novios tuviste tú si vamos a eso?

VICTORIA.—¿Interrogas a tu madre?

SEÑORA R.—Uno... tu padre.

RICARDO.—Un poco monótono. ¿No lo soltaste nunca?

SEÑORA R.—¡Ricardo! Eres inconveniente. En realidad... antes de casarnos rompimos.

RICARDO.—¿Cuántas veces?

SEÑORA R.—Tres.

VICTORIA.—La historia se repite.

RICARDO.—Estás a la altura de Herminia. ¡Qué desilusión!

SEÑORA R.—Tengo entendido que Roberto estuvo continuamente contigo en casa de Elsa.

VICTORIA.—¡Continuamente, continuamente! Tomaba sus comidas fuera, mamá. Pero hablando con él descubrí muchas cosas... que, después de todo, quiero a Alejandro: no es culpa suya si es mi marido; que Roberto está enamorado de Herminia, y que...

RICARDO.—Dilo. Si no te atreves, debe de ser terrible.

VICTORIA.—En fin... Elsa te contará que entraba yo con frecuencia en la cocina de su casa. Descubrí, con gran vergüenza, que no me agrada comer lo que yo no cocino.

RICARDO.—Otra víctima del sistema conyugal.

SEÑORA R.—¿Y para eso estuvo Roberto tanto tiempo allí?

VICTORIA.—Oh, tuvimos conversaciones larguísimas. *(La señora Rosas se echa a reír)* ¿Qué te pasa?

SEÑORA R.—Perdóname, hija mía. Es cierto que yo me había preocupado por ti; pero cuando pienso que ustedes me encuentran anticuada, no puedo menos... *(Ríe)*

VICTORIA.—¿Qué quieres decir?

SEÑORA R.—¡Fugarse con un hombre para conversar con él! Es sencillamente escandaloso.

VICTORIA.—Ahora ya sé de quién ha sacado Ricardo ese sentido del humor. *(Vuelve Herminia, preocupada)* ¿Qué pasa?

HERMINIA.—Creo que lo he arreglado.

VICTORIA.—¿Cómo hiciste?

HERMINIA.—Hice otra cosa fea, pero no tenía remedio.

SEÑORA R.—Herminia, quiero que entiendas que en esta casa se acabaron las rupturas. Ahora te casas o. . .

RICARDO.—Se casará, mamá, está tranquila. Es mujer. Por lo que deberías preocuparte es por el porvenir de tus hijos. Yo y Bernardo. . .

SEÑORA R.—Bernardo lleva ya mucho tiempo de contar las estrellas. Llámalo.

RICARDO.—¡Encantado! *(Sale a la terraza)*

Entra Alejandro por el fondo izquierda, como una tromba.

ALEJANDRO.—Victoria no estaba allí. ¿Dónde está?

VICTORIA.—¿Quieres presentarme, mamá?

ALEJANDRO.—¡Ah! Déjame decirte ante todo. . .

VICTORIA.—Si vas a hacerme una escena todavía, vamos a nuestra casa, arriba. ¿Me extrañaste?

ALEJANDRO.—No sé si divorciarme de ti o estrangularte.

VICTORIA.—Lo segundo es mucho más masculino, y sería una voluptuosidad nueva. Hazlo. *(Le ofrece el cuello)*

ALEJANDRO.—*(Besándola conyugalmente)* No tengo tiempo. Tenemos que empacar.

VICTORIA.—¿Por qué? ¿Quieres cambiarte todavía a una casa con sólo cocina y recámara?

ALEJANDRO.—No hables de eso. Nos vamos a Suramérica. La casa me manda.

VICTORIA.—¡Alex! ¿De veras?

ALEJANDRO.—Montevideo, Río, Santiago, Buenos Aires, Lima. Va a ser un segundo viaje de bodas.

VICTORIA.—¡Espléndido!

ALEJANDRO.—¿Y sabes una cosa?

VICTORIA.—¿Cuál?

ALEJANDRO.—Ahora que salí a buscarte en casa de Elsa, me encontré con un amigo... no tuve más remedio que detenerme, ¿sabes?

VICTORIA.—¿Por qué?

ALEJANDRO.—Es agente de una casa americana de electricidad. Le hice un pedido... no tuve otro remedio.

VICTORIA.—¿Quieres decir que *en ese momento* te detuviste a comprar algo para mí?

ALEJANDRO.—Sí.

VICTORIA.—Eres un encanto. ¿Qué? Dime.

ALEJANDRO.—Una cocina eléctrica preciosa... ¡oh, preciosa!

VICTORIA.—*(Desolada)* Alex, eres incurable.

ALEJANDRO.—Tú también. Anda, vamos a empacar.

VICTORIA.—¿Qué opinas de esto, mamá?

SEÑORA R.—La lección inútil.

VICTORIA.—No, no empacaré.

ALEJANDRO.—¿Qué quieres decir?

VICTORIA.—No iré contigo a Suramérica: ni te divorcias de mí, ni me estrangulas; pasas cuarenta y ocho horas sin verme, y cuando vuelvo me besas como si me hubieras visto una hora antes, con una confianza intolerable, ¡y me compras una cocina!

ALEJANDRO.—*(Tomándola de la mano y lleván-*

dola hacia la escalera como en el segundo acto) ¡Verás que maravilla!

VICTORIA.—*(Ya subiendo)* ¿No me besas?

ALEJANDRO.—¿En público?

Llegados al fin de la escalera se detienen a besarse antes de salir. Se besan de otro modo.

SEÑORA R.—Bueno, estos dos, por lo menos, han resuelto su problema. De ti es de quien no estoy contenta, Herminia. Has sido coqueta, orgullosa, obstinada, cruel y ciega. Merecerías quedarte sin ninguno de tus pretendientes.

HERMINIA.—Lo sé, mamá. Pero no creo que me ocurra eso; tengo confianza en mi amor.

SEÑORA R.—Lo depositas precisamente en lo único en que no se puede tener confianza alguna. Pero debo decirte que si te queda un átomo de corrección debes casarte con Raúl.

HERMINIA.—¡Mamá! Pero si no me queda un solo átomo; estoy enamorada.

SEÑORA R.—Has tardado en descubrirlo... has hecho sufrir a varios hombres, cuando tan fácil era saber que quien te interesa es Roberto. Yo lo supe desde el primer momento.

HERMINIA.—Debiste decírmelo.

SEÑORA R.—No me habrías creído. Tenías que averiguarlo por ti misma. Las gentes de hoy se mueven en una confusión tan grande de sentimientos. *(Transición)* Es curioso.

HERMINIA.—¿Qué, mamá?

SEÑORA R.—Todo parece resuelto ahora, pero temo que no lo está. Pudo haber pasado otra cosa, para todos. Sólo dentro de algunos años entenderán ustedes por qué pasó todo esto... y sabrán si hubiera sido mejor que pasara otra cosa...

Suena el timbre de la puerta.

HERMINIA.—¡Oh, mamá! ¡Es Roberto! Por favor, déjame sola con él.

SEÑORA R.—No vayas a romper con él ahora; espera hasta que estés casada.

Se dirige al fondo derecha. Al pasar frente a la puerta de la terraza, oye voces afuera y se detiene. Abre el balcón y aparece Bernardo sujetando a Ricardo mientras Elsa lo besa.

BERNARDO.—*(Mientras Ricardo trata, inútilmente de hablar)* Iniciamos a mi hermano en la astronomía, mamá. *(Ricardo se desase al fin)*

SEÑORA R.—¿Crecerán ustedes alguna vez? Ven, Ricardo.

RICARDO.—Imposible, mamá. Perdóname, pero tengo que devolver esto.

La señora Rosas sale, moviendo la cabeza, por el fondo derecha. Ricardo cierra el balcón. Durante esta breve escena Herminia se ha compuesto los cabellos. Suena el timbre otra vez. Herminia da una expresión severa a su cara y se dirige a abrir conteniendo su nerviosidad. Cuando llega al fondo izquierda, vuelve a sonar el timbre. Herminia abre.

HERMINIA.—¡Ah! ¿Es usted? Debí haberlo imaginado por su manera de tocar.

ROBERTO.—¿Me permite usted pasar?

HERMINIA.—Pase. *(Entran)* Siéntese.

ROBERTO.—*(De pie)* Me dijo usted hace poco que no quería volver a hablar conmigo.

HERMINIA.—Así es.

ROBERTO.—Que quería usted que desapareciera del mundo.

HERMINIA.—Me es igual.

ROBERTO.—No sé por qué, pero no quiero saberlo

tampoco. Si he venido ahora, contra los deseos de usted, es porque era necesario.

HERMINIA.—¿De qué habla usted? ¿Qué pretexto es ése?

ROBERTO.—No es ningún pretexto. Acabo de separarme de Raúl. Me ha dicho que ha roto usted con él por teléfono hace un momento, brutalmente, sin motivo. Como quien despide a un sirviente. Está desconcertado, lastimado.

HERMINIA.—¡Ah! ¿Dijo "brutalmente", o es una interpretación de usted?

ROBERTO.—Lo que sea, Herminia: Debe usted volver con él. Yo sé cuánto la quiere. . . sé, por experiencia, lo difícil que es encontrar un amor así.

HERMINIA.—Es posible, los intérpretes son escasos. No volveré con Raúl. Puede usted marcharse.

ROBERTO.—Perfectamente. *(Se dirige a la puerta. Ella va a hablar, él se vuelve de pronto; le da la espalda. El le da la espalda también y así continúa la escena)* Herminia. . .

HERMINIA.—¿Qué?

ROBERTO.—Es preciso que vueva con él. Si no lo hace. . . yo. . .

HERMINIA.—¿Usted qué?

ROBERTO.—*(Recobrándose)* Raúl sufriría. . . y no lo merece.

HERMINIA.—¿Quién no sufre en el amor?

ROBERTO.—Pero causaría usted otras cosas.

HERMINIA.—¿Cuáles?

ROBERTO.—Oh. . . no me obligue usted. . .

HERMINIA.—No lo obligo a nada ¿Es eso todo lo que quería decirme?

ROBERTO.—*(Después de dudar)* Sí.

HERMINIA.—En ese caso. . .

ROBERTO.—Comprendo. Me marcho. Pero usted se arrepentirá de hacer sufrir a Raúl.

HERMINIA.—Yo también sufro.

ROBERTO.—Probablemente de la vista, o de jaqueca. Raúl está enamorado.

HERMINIA.—¿Quién no? Yo también lo estoy.

ROBERTO.—¿De Guzmán: después de todo? Es brutal... se comprende.

HERMINIA.—No.

ROBERTO.—¿De Fernando? Es rico.

HERMINIA.—No necesita usted ser mordaz. Tampoco de Fernando.

ROBERTO.—¿De quién?

HERMINIA.—¿Le interesa?

ROBERTO.—No. ¿De quién?

HERMINIA.—Es inútil... no lo conoce usted.

ROBERTO.—Por última vez, vuelva usted con Raúl.

HERMINIA.—¿No le he dicho ya que quiero a otro?

ROBERTO.—*(Después de pequeña pausa)* Bien, en ese caso, a ese otro no tengo por qué serle leal. Si está usted resuelta...

HERMINIA.—Completamente.

ROBERTO.—*(Volviéndose a ella, que le dará la espalda aún)* Bien, voy a decírselo simplemente porque es inútil... un lujo casi... puesto que usted está enamorada-de un imbécil a quien no conozco. La quiero Herminia. He tardado en descubrirlo... he sido un necio. Pero ahora quería pagar, y fundar mi vida sobre un acto de lealtad, sacrificar mis sentimientos a los de Raúl... mi felicidad. Usted, como una mujer que es, me lo estropea todo... me deshace el camino que había yo encontrado... y, además, quiere a otro...

HERMINIA.—Sí. ¿Querría usted conocerlo?

ROBERTO.—No. Confío en su palabra. . . y en su mal gusto. Adiós.

Va a la puerta. Herminia se vuelve. El la escucha de espaldas. Es su turno.

HERMINIA.—Quiero decirle una sola cosa. ¿Sabe usted por qué rompí con Raúl en esa forma?

ROBERTO.—Usted me lo ha dicho: está enamorada de otro.

HERMINIA.—Era la única manera de lograr que ese otro volviera a verme.

ROBERTO.—No es por. . . no quiere usted decir que. . .

HERMINIA.—Sí quiero.

ROBERTO.—*(Volviéndose a ella)* ¡Oh, Herminia! Raúl. . . debería usted estar avergonzada.

HERMINIA.—Lo estoy.

ROBERTO.—Me ha desbaratado usted todo lo que yo quería hacer. Me ha hecho traicionar a un amigo. Nada podríamos hacer juntos, sobre una base así.

HERMINIA.—Pero es que eso ocurre siempre en el amor: hay que robar, hay que matar a otros. Usted, con su experiencia, debería saberlo.

ROBERTO.—Lo sé. Pero no lo quiero ni para usted ni para mí. Adiós, Herminia.

HERMINIA.—¿No me quiere usted entonces lo bastante para pasar por sobre esos escrúpulos? ¿No lo compensaré yo de perder a un amigo? En ese caso, tiene usted razón. Adiós.

Suena el teléfono.

ROBERTO.—Usted es quien tiene razón. Para ser hombre hay que ser sucio, hay que engañar, hay que traicionar, hay que sacrificar a los demás. Me quedo, Herminia.

Suena el teléfono.

HERMINIA.—Eso quería yo. Ahora debo decirle algo más.

ROBERTO.—Cualquier cosa.

HERMINIA.—Raúl lo inventó todo, Roberto.

ROBERTO.—¿Qué?

Suena el timbre del teléfono.

HERMINIA.—El sabía que usted me quería... que no lo sabía usted, y que nunca se atrevería a hablarme por su cuenta. Entonces fingió que estaba enamorado de mí, para que usted hiciera por él lo que nunca haría por sí mismo.

Suenan los dos teléfonos.

ROBERTO.—No es posible, Herminia. Es una mentira o un milagro.

HERMINIA.—Pero usted ha dicho siempre que la mujer no hace milagros.

La señora Rosas por el fondo derecha, Ricardo, Elsa y Bernardo por el balcón, Victoria y Alejandro por la escalera, entran todos y se dirigen hacia el primer término izquierda.

TODOS.—¿Pero no oyen ese teléfono? ¿Va a contestar alguien esos teléfonos?

Y salen todos haciendo ruido mientras Herminia y Roberto permanecen al centro, mirándose y dicen:

ROBERTO
HERMINIA } ¿Cuál teléfono?

Dan simultáneamente un paso el uno hacia el otro para besarse, cuando cae el
TELON

CURRICULUM VITAE

Rodolfo Usigli, nació en la ciudad de México, 1905, hijo de padres de origen italiano y austriaco. Siendo niño juega con títeres. Improvisa las obras y representa las editadas por Vanegas Arroyo. Manda construir un teatro plegadizo por valor de $ 5.00 y a media función el carpintero lo embarga, por falta de pago. A los siete años memoriza el drama de Zorrilla **Don Juan Tenorio** incluyendo las acotaciones y recita pasajes de zarzuelas, operetas y melodramas que ve representar en el Teatro Hidalgo. De 1913 a 1918 hace estudios en escuela primaria.

En el quinto año recibe como premio dos tomos de las obras de Manuel Eduardo de Gorostiza. Empieza a estudiar inglés y trabaja como "office boy" en una oficina norteamericana, después en Sanborns y Wells Fargo. Estudia en escuelas de comercio por espacio de tres meses. Improvisa diálogos entre lápices de diferentes tamaños y sus dedos. Camina a pie para destinar el importe de los pasajes a boletos de teatro y a la adquisición de libros.

Primera experiencia teatral, en 1916 o 1917 cuando consigue empleo como figurante en el Teatro Colón, con un sueldo de cincuenta centavos diarios. En 1923 asiste a la Escuela Popular Nocturna de Música y Declamación y lleva ante la Federación de Estudiantes de México una solicitud de incorporación, pero no encuentra apoyo y fracasa. En 1924 escribe crónicas en "El Sábado", revista popular después llamada "El Martes". Quiere ser cuentista y continúa trabajando en oficinas comerciales. En 1925 decide dedicarse al teatro e inicia lecturas de obras teatrales, interesándose en Moliere. Aprende francés en la Alianza Francesa. En 1925 o 1926 escribe una revista en colaboración con José Escandón Noriega. Trabaja como taquígrafo en español e inglés y como glosador del Ramo Militar en la Contaduría Mayor de

Hacienda. En un momento de abatimiento pide ser enviado a la Legión Extranjera de Marruecos.

Profesor de Historia de la Novela Española en la Escuela de Verano de la UNAM, 1923. Desde 1933, Curso de Historia del Teatro Mexicano en la misma escuela. Curso de Historia de México desde la Independencia hasta nuestros días, en la Facultad de Medicina Veterinaria, 1933. En 1937, Director de los Cursos de Teatro de la UNAM en los que intenta la creación de una escuela de teatro de carácter universitario. El experimento dura un año y en él colaboran impartiendo cursos Xavier Villaurrutia, Agustín Lazo, Francisco Monterde, Enrique Jiménez Domínguez, José Manuel Ramos y Rodolfo Usigli. 1938-1939, Jefe de la Sección de Teatro del Departamento de Bellas Artes de la Secretaría de Educación Pública. 1940 crea el "Teatro de·Medianoche", "Grupo de Repertorio". Primer intento en México de un teatro semiprofesional en el que los actores trabajan sin apuntador. En escenografía introdujo la siguiente innovación: bastidores cubiertos de tela por ambos lados y pintados en colores neutros, buscando diversos efectos a base de iluminación y en esa forma servir para diversas escenografías, pues podían cambiarse y quitarse puertas y ventanas. Por primera vez aparecen en escena pinturas originales. El repertorio cubría el teatro universal y el mexicano: **La pregunta del destino; La cena de despedida; La mañana de bodas de Anatol; Episodio de Arthur Schnitzler; Ha llegado el momento,** de **Xavier Villaurrutia, Las siete en punto,** de **Neftalí Beltrán; Enciende la luz,** de **Marco Aurelio Galindo; Si encuentras, guarda,** de **George Kelly; Temis Municipal,** de **Carlos Díaz Dufóo** (hijo). **Vacaciones,** de **Rodolfo Usigli; Vencidos** de **George Bernard Shaw** y **Los Diálogos de Suzette,** de **Luis G. Basurto.** No fue posible obtener ningún subsidio. La cooperación de los patrocinadores consistió en que en lugar de pagar $ 20.00 por el abono a doce funciones, daban $ 40.00.

La Federación Teatral hizo una cuota especial debido a que las funciones tenían lugar a la media noche. No fue posible sostener la temporada y sólo se presentaron seis programas. Los dueños del Teatro Rex, hermanos Prida, perdonaron la suma que se les adeudaba. Los actores que hicieron posible la temporada no eran profesionales, a excepción de Clementina Otero y José Crespo que ya tenían experiencia teatral y ninguno de ellos cobró sueldos: Carlos Riquelme, Ignacio Retes, Emma Fink, Ernesto Alonso, José Elías Moreno, César Garza, Víctor Urruchúa, Víctor Velázquez, Josette Simó, Teresa Balmaceda, etc. Las obras fueron dirigidas por Rodolfo Usigli. 1942. Clase de actuación y dirección en la Academia Cinematográfica. Segundo Secretario del Servicio Exterior Mexicano, comisionado en 1944-1946 a París y luego en México. 1946, Delegado de México a los Festivales Cinematográficos de Cannes. 1947, Curso de Historia del Teatro de la Facultad de Filosofía y Letras de la UNAM y desde ese año, Curso de Análisis y Composición del Drama en la misma Facultad.

1947, Miembro de la Comisión de Repertorio del INBA.

1948, funda la escuela de teatro particular "Nuevo Mundo".

1949, Delegado de México a los Festivales Cinematográficos de Bélgica, Checoeslovaquia, Venecia y Cannes. 1950, Miembro de la Comisión Literaria y Técnica del Banco Cinematográfico. Desde 1951, Miembro del Seminario de Cultura. En 1951 la empresa del Teatro del Caracol (Antonio Arce y José de J. Aceves) le otorga una Medalla de Oro por las 500 representaciones consecutivas de El Niño y la Niebla.

1954, Delegado del Sindicato de Argumentistas y Adaptadores al Congreso de Escritores Cinematográficos de Edimburgo. En Inglaterra, Francia y Estados Unidos trató con las Sociedades de Autores Dramáticos acerca de los problemas relacionados con el "derecho de autor", en la confianza de que México ocupe el lugar que internacionalmente le corresponde en este aspecto. En el Servicio Exterior de México ocupó los cargos de: Agregado Cultural en la Embajada de México en Francia; Embajador de México en Líbano, 1956 a 1962, y Embajador de México en Noruega, 1962 a 1971. Recibe el encargo presidencial de organizar el Teatro Popular de México y queda al frente de la Oficina de Repertorio del Teatro Popular Mexicano (1972-1975).

Distinciones: Miembro Correspondiente de The Hispanic Society of America, Gran Cruz de la Orden de los Cedros (Líbano 1962); Premio América (México, 1970); Gran Cruz de la Orden de San Olavo (Noruega, 1971); Premio Nacional de Letras (México, 1972).

OBRAS:

Quatre Chemins, pieza en 4 escenas. Escrita en francés como trabajo escolar, 1929 a 1932. **El apóstol,** comedia en 3 actos, 1930. Publicado en "Resumen", Suplemento Literario, enero-febrero 1931 o 1932. **Falso drama,** comedia 1 acto, 1932. Tres comedias impolíticas: **Noche de estío,** 3 actos; **El presidente y el ideal,** comedia sin unidades con un prólogo, 3 actos divididos en 16 cuadros y un breve epílogo; **Estado de secreto,** 3 actos. Escritas de 1933 a 1935. **Noche de estío,** estreno Teatro Ideal, temporada de la UNAM. Director, Rodolfo Usigli, 1950. **Estado de secreto,** estreno Teatro Degollado, Guadalajara, Jal. Compañía Fernando Soler, director Fernando Soler, 1936. **El niño y la niebla,** pieza 3 actos, escrita en New Haven, EE. UU., 1936, estreno Teatro del Caracol, director José de J. Aceves, 1951. Filmada 1953, director Roberto Gavaldón, actores: Pedro López Lagar y Dolores del Río. Publicada Suplemento Dominical "México en la Cultura", junio-julio de 1950 e Imprenta Nuevo Mundo, 1951. **La última puerta,** farsa en dos actos y un ballet intermedio, 1934-1935. Publicada Revista "Hoy", marzo-abril, 1948. **Alcestes,** pieza, 3 actos transposición al medio mexicano de **El misántropo** de Moliere, New Haven, 1936. **Medio tono,** comedia 3 actos, 1937, estreno Teatro Bellas Artes, Compañía María Tereza Montoya, director Ricardo Mondragón, 1937. Editorial Dialéctica, 1938.

Mientras amemos, pieza 3 actos, 1937-1948. **El gesticulador,** pieza para demagogos, 3 actos, 1937. Estreno Teatro Bellas Artes, director Alfredo Gómez de la Vega, 1947. Publicada revista "El hijo pródigo", 1943. Ed. "Letras de México", 1944 y Ed. Stylo, 1947 con un epílogo sobre la hipocresía del mexicano y doce notas, además de un ensayo sobre la actualidad de la poesía dramática. **Otra primavera,** pieza 3 actos, 1938. Estreno Teatro Fábregas, 1945; La Habana, Cuba, 1947. Filmada con Libertad Lamarque, 1949. Ed. Col. TMC No. 3, 1948. **La mujer no hace milagros,** comedia 3 actos, 1939. Estreno Teatro Ideal, Compañía Hermanas Blanch, 1939. Publicada Suplemento de "América", Revista Antológica, 1949. **Aguas estancadas,** pieza 3 actos y un prólogo, 1938 o 1939. Estreno Teatro Colón, Temporada de la UNAM, director Luis G. Basurto, 1952. Publicada Novedades, Suplemento dominical "México en la Cultura", 1952. **La crítica a la mujer no hace milagros,** comedia 1 acto, 1939. Ed "Letras de México", Vol. II, No. 14. 15 de febrero de 1940.

Vacaciones, comedia 1 acto, 1940. Estreno Teatro Rex, "Teatro de Media Noche", Grupo de Repertorio", director Rodolfo Usigli, 1940. Publicada "América", Revista Antológica, junio 1948. **Sueño de día,** radiodrama, 1 acto, 1940. Estreno 1940, Publicada "América", Revista Antológica, febrero 1949. **La familia**

cena en casa, comedia 3 actos, 1942. Tercer premio en el Concurso de Comedia convocado por Carlos Lavergne, empresario del Teatro Ideal, 1942. Actuaron como jurados: José F. Elizondo, Alfonso de Icaza, licenciado Adolfo Fernández Bustamante, Francisco Monterde y Carlos Argüelles. Primer premio a **Una Eva y dos Adanes** de Ladislao López Negrete; segundo premio a **La mujer ilegítima**, de Xavier Villaurrutia, Estreno Teatro Ideal, director Joaquín Coss y Rodolfo Usigli, 1942. Ed. Col. TMC No. 15, 1949.

Corona de sombra, pieza antihistórica, 3 actos y 11 escenas, 1943. Estreno Teatro Arbeu, Temporada "Teatro del Nuevo Mundo", director Rodolfo Usigli, 1947 y Teatro Bellas Artes, director Seki Sano, 1951. Ed. "Cuadernos Americanos", No. 6, año II, Nov.-Dic., 1943. Reimpresa, "Cuadernos Americanos" 1947, con "Dos conversaciones con Bernard Shaw, un prólogo y una carta de Marte R. Gómez". Versión francesa del auto, revisada: **La Couronne d'Ombre.** Estreno Teatro Nacional de Belgique, Bruselas, Bélgica, 1948. Estreno en inglés, **Crown of Shadows,** en Trenton, N. J., Estados Unidos, 1949. Trad. William F. Stirling. Allan Wingate, Londres, 1947.

Dios, batidillo y la mujer, farsa americana 3 escenas, 1943. **Vacaciones II,** comedia 1 acto 1945-1952. **La función de despedida,** comedia 3 actos 1949. Estreno Teatro Ideal, director Ricardo Mondragón, 1953. Publicada "Novedades", Suplemento dominical "México en la Cultura", 1951. 2a. ed. Col. Teatro Contemporáneo 1952. **Los fugitivos,** pieza 3 actos. Estreno Teatro Arbeu, director Luis G. Basurto, 1950. Publicada "Novedades" Suplemento dominical "México en la Cultura", 1951. **Jano es una muchacha,** pieza 3 actos. Estreno Teatro Colón, Temporada UNAM, director Luis G. Basurto, 1952. Ed. Imprenta Nuevo Mundo, 1952. **Un día de estos,** fantasía impolítica, 3 actos 1953. Est. Teatro Iris, director Alfredo Gómez de la Vega, 1954, **La diadema,** 1960. **Las madres** (1949-1960).

Corona de fuego, 1960; **Corona de luz,** 1963; **El gran circo del mundo,** 1969; **Un navío cargado de...**, 1961; **El testamento y el viudo,** 1962; **El encuentro,** 1963; Voces (diario de trabajo, 1932-1934), editado por el Seminario de Cultura Mexicana, 1968; **El gran circo del mundo,** Cuadernos Americanos, 1969. Fondo de Cultura Económica, 1979, III tomo, Teatro Completo de Rodolfo Usigli; **Los viejos,** Finisterre, 1970; Sep-Setentas, 1972; Letras

Vivas; **Carta de amor** (monólogo), Revista de la UNAM; **El caso Flores** ; **Obliteración**, relato, 1949-1969; **Buenos días, señor presidente**, 1972; Ed. Joaquín Mortiz.

OBRAS DE RODOLFO USIGLI TRADUCIDAS A OTROS IDIOMAS:

1946   **Corona de sombra,** al inglés por William F. Stirling, publicada en Londres.

1948   **Corona de sombra,** al francés por Rodolfo Usigli, publicada en Bélgica.

194?   **Corona de Sombra,** al flamenco por Harel Jonckheere.

194?   **Ensayo de un crimen,** al inglés.

1944   **Ensayo de un crimen,** al francés, publicada por Denoel.

1951   1970 **Corona de sombra,** al alemán, por Hans Erich Lampl y Charles Gérard.

1953   **Jano es una muchacha,** al inglés, por Rodolfo Usigli.

1959   1968 **El gesticulador,** al alemán, por Anton María Rothbawer y Hans Erich Lampl.

1960   **La diadema,** al francés, por Alain Coat.

1959   **El niño y la niebla,** al inglés, por Rodolfo Usigli.

1959   **El niño y la niebla,** al francés, por Vincent Monteil.

1961   **Otra primavera,** al inglés por Wayne Wolfe, publicada por Samuel French, Inc.

¿ ?   **Otra primavera,** al francés, por Alice Ahrweiler.

1965   **La última puerta,** al francés por Rodolfo Usigli.

1965   **El encuentro,** al francés por Rodolfo Usigli.

1965   **El encuentro,** al noruego, por Arne Hestenes.

1966   **El gesticulador,** al italiano, por Roberto Rébora, publicada en la revista Sipario.

1966   **El gesticulador,** al checoslovaco, por el doctor Jan Makarius.

1966   **El gesticulador,** al polaco, por María Sten.

1966   **Corona de luz,** al francés por Vincent Monteil.

1968   **El gran circo del mundo,** al noruego por Kirsti Baggenthun.

1968   **El gran circo del mundo,** al inglés por Thomas Bledsoe.

1968   **Medio tono,** al inglés, por Edna Furness, publicada en Poet Lore.

1968   **El encuentro,** al inglés, por Edna Furness y Grace Koehler.

1968   **El gesticulador,** al noruego, por Gid Bang-Hansen.

1970   **Los viejos,** al inglés, por Hilma O. Arons.

284

| 1971 | **Corona de luz,** al inglés, por Thomas Bledsoe, publicada por la U. de Southern Illinois. |

1971   **El gesticulador,** al inglés por Annabel Clark.

1971   **Jano es una muchacha,** al inglés, por Annabel Clark.

1971   **Corona de luz,** al inglés, por Annabel Clark.

1979   **El gesticulador,** al checo, por Emilia Obuchova, publicada en antología, Dram. Mod. Lat. Am.

Sin fecha: **El gesticulador,** al alemán, por Marianna Becker.

OBRAS DE OTROS AUTORES TRADUCIDAS POR RODOLFO USIGLI:

1928   **Cartas a Corysande,** de Jean Sarment.

1933   **Cosas calladas,** de Paul Valery.

1935   **El canto de amor,** de J. Alfred Prufrock, de T. S. Elliot.

1937   **Winterset,** de Maxwell Anderson.

1939   **La gaviota,** de Anton Chejov.

1937   **Una historia económica de Europa** (1760-1930), de Arthur Birnie.

1942   **La llave de cristal,** de Dashiel Hammet R. U., bajo el seudónimo de Julián Rivas.

1942   **Walt Whitman, constructor para América,** por Babette Deutsch.

1944   **¿Qué es un clásico?,** de T. S. Eliot.

194?   **Androcles y el león,** de G. Bernard Shaw.

1950   **Cocktail party,** de T. S. Eliot.

1950   **Ana Lucasta,** de Philip Yordan.

1954   **La casa de té de la luna de agosto,** de John Patrick.

1954   **Té y simpatía,** de Robert Anderson.

1955   **La condición humana,** de André Malraux, en versión teatral de Thierry Maulnier, publicada por la UNAM, textos del teatro de la UNAM, 1971.

1956   **México, tierra india,** de Jacques Soustelle, publicada en 1971 por Sep-Setentas.

1955   **Sud Pacífico,** de Rodgers y Hammerstein.

1957   **El abismo,** de Silvio Giovaninetti.

1959   **Historia de vasco,** de Georges Schehadé.

1962   **El viaje,** de Georges Schehadé.

1961   **Alcibiades,** de Georges Theotokas, publicada por la UNAM en Textos del Teatro de la Universidad de México, 1969.

1966   **Triángulo español,** de Kurt Becsi, publicada en Textos de la U. de México, 1967.

1969   **El dios Kurt**, de Alberto Moravia.

1969   **Semmelweis o El purificador**, de Jens Bjorneboe (en cola-
        boración con Kirsti Baggethum).

1967   **Encontrarse**, de Luigi Pirandello.

1969   **Candelaio**, de Giordano Bruno.

1970   **Corilla**, de Gérard de Nerval.

1970   **Erik XIV**, de August Strindberg.

1973   **El otro don Juan**, de Eduardo Manet.

197¿   **Vinzenz y la amiga de los hombres importantes**, de Robert
        Musil.

1975   **Holocaustum o el tuerto**, de Eduardo Manet.

SIN FECHA:

——   Estudios acerca de Cholula —cercanías—, por A. F. Ban-
      delier (extracto de la parte III).

——   **Canto a mí mismo**, de Walt Whitman.

——   **Nuevas manifestaciones del teatro francés**, por Anthony
      Curtis.

——   **Las seis primeras lecciones**, por Boleslavsky.

——   **El candelero**, de Alfred de Musset.

——   **Fuego en París** (The Roof), de John Galsworthy.

——   **El admirable Crichton**, de sir James Matthew Barrie.

——   **El Cid**, de Pierre Corneille.

——   **Las preciosas ridículas**, de Moliere.

——   **El canto del cisne**, de Anton Chéjov.

——   **Don Juan, o "El festín de piedra"**, de Moliere.

——   **Biografía**, de S. N. Behrman.

——   **El oso**, de Anton Chéjov.

——   **El burgués gentilhombre**, de Molière.

——   **Zaira**, de Voltaire.

——   **Fedra**, de Racine.

INDICE

Edición 2,000 ejemplares
SEPTIEMBRE 1995.
OFFSET LORENZANA
Calle Narvarte No. 99
Col. Metropolitana 3a. Sección